Ragnar Jónasson • FROST

Ragnar Jónasson

FROST

Thriller

*Aus dem Isländischen
von Anika Wolff*

btb

Für Helga Ellerts

Hinter mir harret der Tod schon

Jóhann Sigurjónsson (1880–1919)
Aus dem Gedicht »Bikarinn« (»Der Becher«)

2012

HELGI

Die bedrückende Stille wurde zerrissen.

Jemand stand vor der Tür und klopfte, ziemlich energisch, nachdem er sicher schon zigmal auf die Türklingel gedrückt hatte, aber die war kaputt.

Helgi stand auf.

Er hatte mit einem Krimi auf dem Sofa gesessen, hatte sich vor dem Schlafengehen wieder einigermaßen fangen wollen, indem er in die Romanwelt abtauchte, aber so wurde das nichts.

Bergþóra und er wohnten zur Miete in der Kellerwohnung eines alten Hauses im Reykjavíker Stadtteil Laugardalur. Auch das restliche Haus war vermietet, über ihnen wohnte ein Ehepaar mit zwei Kindern. Der Eigentümer lebte wahrscheinlich irgendwo im Ausland.

Zu den Leuten von oben hatte Helgi keinen guten Draht, sie waren meist unfreundlich und mischten sich in alles ein, als hätten sie mehr zu sagen, weil sie den größeren Teil des Hauses bewohnten. Der Kontakt zwischen ihnen war daher auf ein Minimum reduziert und ziemlich unterkühlt.

Helgi ahnte, dass ebendieser Nachbar vor der Tür stand und sich mal wieder wichtigmachen wollte. Aber es gab noch eine andere, deutlich schlimmere Möglichkeit.

Langsam trat er in die Diele. Das Wohnzimmer war richtig gemütlich, alle Wände voller Bücher – seiner Bücher –, vor den Regalen stand ein bequemer Sessel und zum Fernsehen gab es ein passables Sofa. Auf dem Couchtisch standen Duftkerzen, die Helgi aber nicht angezündet hatte. Heute nicht. Dafür hatte er eine Platte aufgelegt, eine echte Schallplatte. Der Plattenspieler war neu und an das Soundsystem im Wohnzimmer angeschlossen, darauf spielte er die alten Jazz-Platten seines Vaters. Das Hämmern an der Tür durchbrach die warmen Jazz-Töne, zerriss die Ruhe, die in der Wohnung eingekehrt war.

Verdammt, dachte Helgi.

Als er die Tür fast erreicht hatte, wurde das Klopfen noch lauter und eindringlicher. Er schnappte nach Luft, legte die Hand auf die Türklinke und wartete, nur einen kurzen Moment. Dann öffnete er die Tür.

Draußen stand ein uniformierter Polizist, ein junger Mann, vielleicht fünfundzwanzig Jahre alt, gedrungen und mit ausdrucksstarkem Gesicht. Er stand im Schein der Außenlampe, hell erleuchtet in der Dunkelheit, und wirkte konzentriert, als erwartete er einen Konflikt. Helgi kannte den Mann nicht. In seinem Schatten stand ein weiterer Polizist, der Helgi etwas entspannter vorkam, obwohl er sein Gesicht nicht sehen konnte.

»Guten Abend«, sagte der Polizist, der im Licht stand. Er klang nicht so ernst, wie Helgi erwartet hatte, seine Stimme zitterte sogar leicht. Wahrscheinlich wirkte der Mann nur so konzentriert, weil er seine Unsicherheit überspielen wollte. Vielleicht war das sein erster Einsatz. »Helgi? Helgi Reykdal?«

Helgi war nicht viel älter als sein Gegenüber, gut dreißig, aber er fühlte sich dem jungen Polizisten überlegen.

»Ja, Helgi Reykdal. Was gibt's?«, fragte er mit fester Stimme. Rückte die Machtverhältnisse zurecht. Das hier war sein Zuhause, und sie störten ihn spät am Abend.

»Es ist, wie soll ich sagen …« Der Polizist zögerte, was Helgi nicht überraschte. »Es ist eine Beschwerde eingegangen …«

Helgi fiel ihm ins Wort.

»Eine Beschwerde? Von wem?« Helgi würde sich nicht aus der Ruhe bringen lassen.

»Tja, wir … das dürfen wir Ihnen nicht sagen.«

»Mein Nachbar da oben, stimmt's?«, sagte Helgi und lächelte. »Dieser Hund, der beschwert sich ständig über irgendetwas. Ich glaube, er ist unglücklich in seiner Ehe. Man darf nicht die Stimme erheben, noch nicht einmal den Fernseher aufdrehen, schon hämmert er mit dem Besenstiel auf den Boden. Und wie ich sehe, hat er jetzt sogar die Polizei gerufen.«

»Er hat einen lauten Streit gehört …« Der Polizist hielt mitten im Satz inne, als er merkte, dass er zu viel verraten hatte. »Also, ja, es ist eine Beschwerde eingegangen …«

»Das haben Sie bereits gesagt«, sagte Helgi bestimmt.

»Eine Beschwerde, dass es laut geworden ist. Es wurden Streit und Schreie gehört. Mehr als bei einer normalen Auseinandersetzung.«

Jetzt trat der andere Polizist aus dem Schatten heraus, machte einen Schritt auf Helgi zu und sah ihm in die Augen.

»Tatsächlich! Ich wusste doch, dass mir der Name bekannt vorkam«, sagte er zu Helgi.

Auch Helgi erinnerte sich sofort, als er den Mann sah. Sie hatten im vergangenen Jahr hin und wieder gemeinsame Schichten bei der Reykjavíker Polizei gehabt. Aber sie kannten sich nur flüchtig.

»Reimar«, stellte der Polizist sich vor. »Du warst doch letzten Sommer bei uns, oder?«

»Ja, ein Sommerjob nach der Ausbildung. Danach habe ich studiert, Kriminologie«, antwortete Helgi.

»Ja, stimmt, ich erinnere mich, das hat mir jemand erzählt. In Großbritannien, oder? Mit dem Gedanken habe ich auch oft gespielt, mich noch weiterzubilden«, sagte Reimar.

Helgi nickte. Er stand immer noch in der Tür und demonstrierte, dass er hier der Hausherr war. »Das stimmt. Streng genommen bin ich immer noch Student, ich schreibe gerade meine Abschlussarbeit. Aber wir sind schon zurück nach Island gezogen, weil meine Frau hier einen guten Job gekriegt hat.« Helgi lächelte.

»Schön, dich wiederzusehen«, sagte Reimar. »Tja, vielleicht nicht unter den erfreulichsten Umständen. Es gibt Probleme mit dem Nachbarn, sagst du?«

»Ja, das kann man wohl sagen. Dieser Idiot. Aber das ist zum Glück nur eine Mietwohnung, früher oder später ziehen wir hier sowieso aus.«

»Er sagt, er hat Lärm gehört«, schaltete sich der andere Polizist wieder ein. Jetzt klang er deutlich ruhiger.

»Das stimmt schon, es gab eine kleine Auseinandersetzung zwischen mir und meiner Frau. Aber nichts, weshalb man die Polizei rufen müsste. Wie gesagt, man muss nur den Fernseher mal ein bisschen lauter drehen, schon steht der Kerl auf der Matte. Diese alten Häuser sind so verdammt hellhörig.«

»Da sagst du was. Ich wohne auch in so einem Haus in der Weststadt«, sagte Reimar.

»Es tut mir leid, dass ihr wegen so etwas ausrücken musstet«, sagte Helgi und fügte nach einer kurzen Pause hinzu: »Wollt ihr mit meiner Frau sprechen? Euch vergewissern, dass alles in Ordnung ist? Sie schläft, aber ich kann sie natürlich wecken.«

Reimar lächelte. »Nicht nötig.«

Sein Kollege schien etwas einwenden zu wollen. Helgi sah ihn an, und es war, als verschluckte das Schweigen seine Einwände.

Schließlich ergriff Reimar wieder das Wort: »Entschuldige die Störung, Helgi. Ich hoffe, wir haben dich nicht geweckt.«

»Schon gut, ich habe noch gelesen.«

»Kommst du nach dem Studium denn wieder zu uns?«

»Ich arbeite daran. Bin gerade in Gesprächen mit der Reykjavíker Polizei, dass ich vielleicht im Frühjahr einsteige. Das wäre schon ein Traumjob.«

»Sehr schön, dann sehen wir uns sicher bald wieder.« Er streckte die Hand aus. Helgi verabschiedete sich per Handschlag und schloss die Tür.

Er atmete tief durch. Das war ja noch mal gut gegangen. Er hätte nicht gedacht, dass der Idiot da oben tatsächlich die Polizei rufen würde, obwohl er es zu einem gewissen Grad verstehen konnte, denn es war wirklich ganz schön laut geworden.

Sein Herz klopfte unangenehm schnell, aber er war zufrieden, dass er den Polizisten gegenüber so besonnen aufgetreten war. Da half die Erfahrung, die er bei der Polizei gesammelt hatte.

Er setzte keine großen Hoffnungen in einen zweiten Anlauf mit dem Krimi, aber versuchen wollte er es trotzdem noch einmal. Wollte sich von dem blöden Nachbarn nicht auch noch den Rest des Abends versauen lassen. Er arbeitete unter Hochdruck an seiner Abschlussarbeit und musste aufpassen, dass er sich zwischendurch genügend Verschnaufpausen gönnte. Am allerbesten schaffte er das bei einem guten Buch auf dem Sofa.

Sein Vater war Antiquar im Norden Islands gewesen,

mit einem besonderen Faible für übersetzte Kriminalliteratur, die er mit Eifer gesammelt hatte. Auch seinen Sohn
hatte er bereits in jungen Jahren mit dem Krimi-Virus infiziert. Nach dem Tod des Vaters hatte Helgi die Sammlung geerbt und hielt sie seitdem in Ehren. Einen großen
Teil der Bücher kannte er bereits, aber noch nicht alle, das
holte er jetzt nach, aber er genoss es auch, Bücher noch
einmal zu lesen, die er als Jugendlicher verschlungen hatte.

Er ließ sich aufs Sofa fallen und schlug den Krimi auf.
Mord im Irrenhaus von Patrick Quentin, eine alte, zerfled-
derte Ausgabe. Der erste Roman mit Detektiv Duluth, zu
dem es im isländischen Radio ein Hörspiel gegeben hatte,
ziemlich gut gemacht, wenigstens hatte er das als Jugendlicher so empfunden. Daraufhin hatte Helgi den Roman
auf Englisch gelesen. Es ging um Morde in einer Ner-
venheilanstalt, in der Duluth wegen seines Alkoholismus
behandelt wurde. Ein ziemlich ungewöhnliches Thema,
dafür, dass der Roman in den 1930ern, im goldenen Krimi-
zeitalter, erschienen war. An dieses Buch hatte Helgi in
letzter Zeit häufiger gedacht, wegen seiner Abschlussarbeit. Todesfälle in einem Krankenhaus …

Helgi las ein paar Seiten, doch er konnte sich nicht richtig konzentrieren. Vielleicht lag es an der Qualität des
Buchs, aber er glaubte eher, dass die Polizei – oder vielmehr: der Nachbar von oben – schuld daran war. Dieser
Besuch hatte ihn aus der Bahn geworfen. Vielleicht hob er
sich das Buch besser fürs Wochenende auf und ging jetzt
schlafen. Er würde auf dem Sofa schlafen, wie immer nach

solchen Auseinandersetzungen. Wie immer war er derjenige, der sich opferte.

Vorsichtig legte er das Buch auf den Tisch – mit seinen Büchern ging er äußerst sorgsam um. Diese alten Krimis waren ihm kostbar, auch wenn sie in Wirklichkeit sicher nicht viel wert waren.

Wenn er ehrlich war, freute Helgi sich sogar aufs Schlafen, er schlief meist gut und brauchte auch alle Kräfte für den Endspurt des Studiums. Das Thema seiner Abschlussarbeit war ziemlich ungewöhnlich, und er war erstaunt gewesen, dass der Professor in Großbritannien sich darauf eingelassen hatte.

Diese Nacht mussten Sofakissen und eine dünne Decke als Bettzeug reichen, aber das machte nichts, er war einiges gewohnt. Außerdem war es angenehm warm in der Wohnung.

Er zog sein weißes Hemd aus, hängte es über die Sessellehne – und bekam einen Schreck.

Zum Glück hatten die Polizisten den Blutfleck am Ärmel nicht bemerkt.

1983

TINNA

Tinna kämpfte sich durch den Regen, den Kopf einge-
zogen und den Regenmantel fest um sich geschlungen.
Der Himmel war so grau wie selten, und im strömenden
Regen verschwamm alles, die Wolken, der Gehweg, sogar
die Häuser wirkten farblos in diesem Wetter. Die gesamte
Umgebung war wie verblasst, und außer dem Regen waren keinerlei Geräusche zu hören. Wobei zu dieser Tageszeit, um sieben Uhr früh an einem Samstag, auch sonst
nicht viel los gewesen wäre. Erleichtert erreichte sie ihr
Auto und brachte sich in Sicherheit.

Tinna war jung, hatte frisch ihr Pflegestudium absol-
viert. Sie war in Akureyri geboren und aufgewachsen, auf
dem Spítalavegur, und hatte sich riesig gefreut, als sie
nach der Ausbildung in Reykjavík hier in ihrer Heimat-
stadt einen Job bekommen hatte, in der Nähe ihrer Eltern
und der Familie. Und die Arbeit im alten Tuberkulosesanatorium war auch in Ordnung. Der einzige Haken war,

dass es etwas außerhalb lag und sie nicht zu Fuß zur Arbeit gehen konnte. Die Arbeit an sich war nicht wirklich fordernd, aber ein guter Einstieg. Tuberkulose-Patienten gab es schon lange keine mehr, das war weit vor Tinnas Geburt gewesen, aber trotzdem lag über dem alten Sanatorium noch dieser unheimliche Hauch des Weißen Todes. Die Bewohner von Akureyri sprachen mit Ehrfurcht von diesem Ort, obwohl sie seit Jahrzehnten keinen an Tuberkulose Erkrankten mehr zu Gesicht bekommen hatten. Das alte Sanatorium hatte größtenteils den Betrieb eingestellt, und die Gebäude am hübschen Wäldchen standen leer, bis auf die eine Abteilung, in der Tinna arbeitete. Sie und ihre Kollegen waren hauptsächlich mit Analysen, Studien und der Optimierung von Arbeitsabläufen befasst; Patienten gab es hier keine mehr. Irgendwo in Reykjavík saßen Leute, die sich Gedanken darüber machten, wie das alte Sanatorium in Zukunft genutzt werden sollte.

Tinna war gestern spät schlafen gegangen, nachdem sie ihre Freundin Bibba besucht hatte und bis in die Nacht geblieben war. Jetzt musste sie gegen die Müdigkeit ankämpfen. Da war das Wetter nicht gerade hilfreich. Am liebsten hätte sie wieder kehrtgemacht, sich ins Bett gelegt, unter ihrer Decke eingekuschelt und dem Regen gelauscht, bis sie über dem monotonen Trommeln eingeschlafen wäre. Vielleicht hätte sie sich krankmelden sollen, aber das wäre bei den Kollegen sicher nicht so gut angekommen. Sie musste sich zusammenreißen und durch den Morgen quälen, Kaffee trinken und hoffen, dass der Tag sich noch zum Guten wendete.

Sie war morgens immer als Erste vor Ort, machte das Licht an, setzte Kaffee auf und brachte alles in Gang. Um Punkt sieben begann ihr Arbeitstag, und eine Stunde später trafen die beiden anderen Krankenschwestern ein, Yrsa und Elísabet, beide erfahrener als sie. Die Ältere, Yrsa, war seit Jahrzehnten im Job und stand kurz vor der Rente. Sie hatte, genau wie Tinna, ihre Karriere an diesem Ort begonnen und wollte sie offenbar auch hier beenden. Zweifellos hatte Yrsa in ihren ersten Jahren einen schwereren Job gemacht als Tinna, als das Sanatorium noch von Tuberkulosekranken bevölkert war. Jetzt spukten nur noch die Geister der Verstorbenen durch die Flure, dachte Tinna manchmal, obwohl sie noch nichts in dieser Richtung wahrgenommen hatte. Aber unwohl fühlte sie sich trotzdem oft, vor allem, wenn sie allein war.

Die Fahrt zum alten Sanatorium hatte ungefähr zehn Minuten gedauert, nun eilte Tinna ins Gebäude. Sie war so froh, dem Regen zu entkommen, dass ihr nicht sofort auffiel, dass die Tür, die eigentlich abgeschlossen sein sollte, es aus irgendeinem Grund nicht war. Hatte jemand am Vorabend vergessen, sie abzusperren? Es brannte auch Licht. Das war merkwürdig.

Wahrscheinlich ging das auf Yrsas Kappe, was gut war, denn dann durfte sie niemand anderem Vorwürfe machen. Denn obwohl Yrsa so ruhig und maßvoll wirkte, konnte sie sich tierisch aufregen, wenn ihr etwas nicht passte. Erst neulich hatte sie Elísabet wegen irgendeiner Kleinigkeit richtig zurechtgestutzt. Elísabet war schon deutlich länger hier als Tinna, wahrscheinlich genoss Tinna deshalb noch eine Art Welpenschutz bei Yrsa, auch wenn sie alles andere als Freundinnen waren. Im Grunde wusste Tinna kaum etwas über Yrsa, abgesehen davon, dass sie seit Jahrzehnten als Krankenschwester arbeitete. Doch – sie wusste, dass Yrsa geschieden war, aber das war auch alles. Sie sprachen nie über Privates. Yrsa hatte Tinna noch nie nach ihrer Familie oder ihren Interessen gefragt, und auch sie gab nichts über ihr Privatleben preis. Überhaupt war Yrsa eher wortkarg. Sie guckte immer bedrückt, als hätte sie in ihrem Leben zu viel Leid gesehen, und wahrscheinlich stimmte das auch. Tinna sah sie vor sich: klein, in ihrer tadellos glatten, weißen Schwesternuniform, das kantige Gesicht vom kurzen, silbergrauen Haar gerahmt, der Blick fern, in Gedanken wahrscheinlich bei irgendwelchen alten Erinnerungen, bei den Kranken, die den Kampf gegen die tödliche Krankheit verloren hatten. Eines wusste Tinna sicher: Sie würde hier nicht ihr gesamtes Berufsleben zubringen. Dieser Job war lediglich ein Sprungbrett, sie würde sich spezialisieren und spannendere Aufgaben in einem größeren Krankenhaus übernehmen. Eine langweiligere Arbeit war kaum zu finden, aber es gab die Hoffnung, dass das einstige Sanatorium bald wieder in irgendeiner Weise genutzt würde, daher hielten die Mitarbeiter durch.

Tinna stieg die Treppe hinauf, die ersten Stufen nahm

sie langsam, ihre Schritte hallten durchs Treppenhaus, und ihr wurde wieder einmal unangenehm bewusst, dass sie ganz allein in diesem Trakt war. Immer war sie als Erste da, jeden Morgen, und immer hatte sie ein bisschen Schiss. Daher lief sie etwas schneller, wie immer, wenn sie sich dem Treppenabsatz näherte und das Echo lauter wurde, überwältigender, allumfassend. Oben angekommen atmete sie auf, zog vorsichtig den triefenden, gelben Mantel aus, den sie erst kürzlich gekauft hatte, und bemühte sich, nicht alles nass zu machen. Trotzdem bildete sich eine kleine Pfütze am Spind. Egal. Es würde sowieso wieder ihre Aufgabe sein, alles aufzuwischen.

Die Tür zu Yrsas Büro stand offen. Auch das war ungewöhnlich, und wieder überkam Tinna dieses ungute Gefühl. Bis ihr aufging, dass sie vielleicht gar nicht allein war. Vielleicht war Yrsa heute früher gekommen. Deshalb war die Tür unten nicht mehr abgeschlossen gewesen, und deshalb stand Yrsas Büro offen.

Tinna rief, allerdings ziemlich leise: »Yrsa, bist du schon da?«

Sie stand immer noch am selben Fleck vor dem Spind, regungslos, und sah zu, wie die Tropfen vom gelben Mantel auf die Fliesen fielen. Sie rechnete damit, dass Yrsa antwortete, barsch wie immer. Dass sie einen Kaffee bestellte, »und zwar sofort.« Doch das Einzige, was Tinna hörte, waren die Tropfen, die auf den Fliesen landeten, dumpf, aber doch ein sicheres Zeichen dafür, dass Yrsa nicht da war.

Trotzdem wollte Tinna sichergehen. Sie fühlte sich unwohl, irgendetwas war hier los, das spürte sie. Sie ging auf Yrsas Büro zu und blieb kurz vor der Tür stehen, ehe sie sie ganz öffnete.

Ihre erste Reaktion war Verwunderung, doch nur für einen kurzen Augenblick, dann kam der Schock.

Tinna sah sofort, dass Yrsa tot war, und auch, dass der Tod sie nicht auf natürliche Weise ereilt hatte. Trotzdem legte sie vorsichtig die Finger an Yrsas Hals und fühlte nach einem Lebenszeichen. Es war kein Puls zu finden.

Den Ausdruck in Yrsas Gesicht würde sie nie vergessen. Tote Menschen hatte Tinna bereits gesehen, aber in Yrsas Gesicht war nichts Friedliches. Sie schien bis zum letzten Moment um ihr Leben gekämpft zu haben, war nicht bereit für den Tod gewesen. Und das, obwohl es sicher nicht vieles gab, für das sie gelebt hatte. Dieser kaltherzige Gedanke ging ihr durch den Kopf, während sie versuchte zu begreifen, was sie da sah, und sich gleichzeitig davor scheute, weil es so furchtbar war.

Yrsa hatte immer wieder und nicht ohne Stolz betont, dass der schwere Schreibtisch in ihrem Büro ihr persönlich gehörte, ein altes Familienerbstück. *Der Tisch, an dem schon mein Vater saß*, hatte sie gesagt. Und jetzt lag Yrsa mit dem Oberkörper auf ihrem Schreibtisch, das graue Haar wie eine Krone um ihren Kopf. Auf dem Tisch hatte sich eine dunkelrote Blutlache gebildet, die einen schaurigen Kontrast zu der gräulichen Haut bildete. Im ersten Moment hatte sie geglaubt, das Blut sei aus Yrsas Kopf geflossen, nach einem Schlag an den Schädel oder von einer Schusswaffe, doch dann entdeckte sie mit Entsetzen die beiden abgetrennten Finger. Die verstümmelte Hand ruhte auf dem Tisch, und ein Stück daneben lagen die beiden Gliedmaßen.

Tinna wandte den Blick ab, taumelte einen oder zwei Schritte zurück und versuchte, tief durchzuatmen. Ein Teil von ihr wollte wegrennen, doch sie blieb. Die Neugier war stärker als die Vernunft. Sie betrachtete die Situation als eine Art Prüfung. Wenn sie als Krankenschwester arbeiten wollte, musste sie sich an einiges gewöhnen. Also richtete sie ihren Blick wieder auf die Leiche.

Sie hatte richtig gesehen.

Daumen und Zeigefinger der rechten Hand waren abgetrennt, daher kam das Blut, und ebendieses Blut deutete darauf hin, dass der brutale Akt vollzogen worden war, als Yrsa noch lebte.

Bei dem Gedanken schauderte es Tinna.

Und auf einmal wurde ihr bewusst, dass auch sie möglicherweise in Gefahr schwebte.

Schnell warf sie einen Blick über ihre Schulter, ihr Herz klopfte wie verrückt. Hinter ihr war niemand, und da Yrsas Büro klein war, konnte sie sicher sein, dass sich auch niemand dort versteckte. Tinna stand einen Augenblick still und lauschte, doch es war nichts zu hören außer dem typischen Luftzug in dem alten Gebäude. Sie war allein, der einzige lebende Mensch in diesem Trakt, der einzige lebende Mensch im ganzen Sanatorium.

Sie verließ Yrsas Büro und achtete darauf, dass sie nichts mehr berührte. Beim Hereinkommen hatte sie die Türklinke angefasst, aber daran konnte sie jetzt nichts mehr ändern.

Als Erstes musste sie die Polizei informieren. In Yrsas Büro gab es ein Telefon, aber das konnte sie nicht nutzen. Der Oberarzt hatte auch ein Telefon, aber seine Tür war zu, und Tinna traute sich nicht, einfach hineinzumarschieren.

Also lief sie die Treppe hinunter zum Mitarbeitertelefon am Eingang. Am liebsten wäre sie einfach davongerannt, aber die Polizei musste so schnell wie möglich informiert werden, sie hatte keine andere Wahl. Sie überlegte kurz, ob sie wohl irgendwelche Spuren vernichtete, wenn sie den Hörer anfasste, aber das kam ihr doch eher unwahrscheinlich vor. Als sie die Nummer wählen wollte, fiel sie ihr beim besten Willen nicht ein. Sie rief ja nicht tagtäglich bei der Polizei an, wahrscheinlich war dies sogar das allererste Mal. Sie sah sich um, suchte das Telefonbuch, aber fand es nirgends. In einer Schublade entdeckte sie schließlich eine alte Ausgabe. Sie schlug die Nummer nach und rief an. Sofort ging jemand ran.

»Polizei Akureyri«, sagte eine raue Männerstimme.

Im ersten Moment kriegte Tinna keinen Ton heraus, war wie gelähmt vor Angst.

»Polizei«, wurde wiederholt.

Sie räusperte sich und holte tief Luft. »Ja … ja, guten Tag, Tinna ist mein Name, ich rufe vom alten Tuberkulosesanatorium an, ich …« Wieder schwieg sie, fand nicht die richtigen Worte.

»Ja? Ist etwas passiert?«

»Ja … ja, ich glaube, eine Frau wurde … ich glaube, sie wurde ermordet.«

1950

ÁSTA

Ásta hatte in ihren zwanzig Jahren im Tuberkulosesanatorium so viel gesehen. Zu viel.

Diese Krankheit konnte so gnadenlos sein und machte keinen Unterschied zwischen den Menschen. Diese unvorstellbaren Qualen, die viele Erkrankte durchmachen mussten, und oft konnte sie nichts tun, konnte nur versuchen, es für die Patienten etwas erträglicher zu machen, wenn sie nichts mehr zu erwarten hatten außer einem viel zu frühen Tod.

Anfangs war es am schlimmsten gewesen, denn im Laufe der Jahre hatte man die Krankheit immer besser in den Griff gekriegt, immer weniger Patienten starben, und trotzdem war der Sieg noch nicht errungen. Noch nicht. Aber man durfte hoffen, dass er nicht mehr fern war.

Die Ärzte waren spürbar optimistisch, vor allem Oberarzt Friðjón. Er gehörte der jüngeren Generation an, war noch keine vierzig, blitzgescheit und einflussreich. Der

Sohn eines angesehenen Anwalts, der Bruder des Polizeidirektors, der sich in die Dinge einmischte und sich bewusst für diese Arbeit hier im Norden entschieden hatte, in einer Einrichtung wie dieser, wo gute Menschen wirklich Gutes tun konnten. Leider konnten sie nicht alle retten, noch nicht, aber Ásta spürte, dass bessere Zeiten bevorstanden, dass es früher oder später sichere Heilungschancen bei dieser furchtbaren Krankheit geben würde.

Der heutige Tag, ein grauer, verregneter Montag, war vor diesem Hintergrund besonders schlimm gewesen.

Ein neuer Patient war auf die Station gekommen. Es war immer eine Hiobsbotschaft, wenn jemand neu in diese Gemächer des Todes eingewiesen wurde. Und als wenn das nicht genug wäre, war der kleine Patient erst fünf Jahre alt. Fünf Jahre! Sie erinnerte sich noch daran, als ihr Sohn fünf Jahre alt gewesen war, der kleine Engel, unschuldig und gleichzeitig so clever. Und als sie, nur ganz kurz, einen Blick durch die Glasscheibe in das Krankenzimmer des kleinen Jungen geworfen hatte, in seine tränennassen Augen, hatte sich der Blick ihres Sohnes in seinen Augen gespiegelt. Sie hatte ein solches Mitleid mit dem Jungen. Sie wusste, wie gefährlich die Tuberkulose war, und hoffte, dass er stark genug für den Kampf sein würde. Denn sie wusste auch, dass die Krankheit keineswegs ein Todesurteil war, hatte so oft das Gegenteil erlebt, Patienten, die sich nach schwerem Kampf wieder erholten und eine zweite Chance bekamen. Die Krankheit befiel oft die Lunge, und wer sie überlebte, wurde nie wieder so kräftig wie vorher, aber er lebte, das war das einzig Wichtige. Sie hatte miterlebt, wie die Patienten, die dem Tod von der Schippe gesprungen waren, dem Leben mit offenen Armen entgegentraten. Sie hatte die Hoffnung in ihren Augen gesehen, und wahrscheinlich hatte sie genau aus diesem Grund noch nicht aufgegeben, sondern hielt diese Arbeit seit zwei Jahrzehnten durch. Die Hoffnung schenkte ihr diese Kraft und gab ihrem Leben einen größeren Sinn.

Aber es gab Tage wie diesen, an denen die Hoffnungslosigkeit die Oberhand gewann. Ein kleiner Junge, der es mit dieser Übermacht aufnehmen musste. Und er hatte es sowieso schon schwer gehabt, hieß es. Die Mutter war alleinerziehend und eine Trinkerin, hatte zwei Söhne, den kleinen Jungen und noch einen großen Sohn, wahrscheinlich noch nicht einmal vom selben Vater.

Ásta war nicht mehr weit vom Ruhestand entfernt. Sie wollte so bald wie möglich aufhören, wollte die schönen Jahre mit ihrem Mann genießen, die Enkelkinder aufwachsen sehen. Sie hatte ihr Bestes gegeben, fand sie, hatte kranken Menschen geholfen, sie gepflegt und ihren Beitrag dazu geleistet, dass die Welt ein kleines bisschen besser wurde. Sie war nie auf Ruhmesorden aus gewesen und hatte auch nie welche bekommen. Eine Zeit lang hatte sie gedacht, man würde sie bitten, die Stelle der Oberschwester zu übernehmen, als der Posten vor zwei Jahren frei wurde. Aber sie wurde nicht gefragt, sondern eine junge

Frau namens Yrsa bekam die Stelle. Sie kamen gut miteinander aus, obwohl sie sich privat nicht weiter kannten, aber der Altersunterschied setzte ihr doch zu. Yrsa hätte ihre Tochter sein können, war etwas über dreißig, und trotzdem war sie nun diejenige, die sagte, wo es langging. Inzwischen hatte sie sich daran gewöhnt, wie immer, aber möglicherweise trug diese Rangordnung dazu bei, dass sie so früh wie möglich aufhören wollte. Alles hatte seine Zeit.

Der arme Junge. Sie musste ständig an ihn denken. Es gab natürlich andere Patienten, bei denen die Krankheit schon weiter fortgeschritten war und um die sie sich kümmern musste. Menschen, die ihr ans Herz gewachsen waren. Der kleine Junge gehörte noch nicht einmal zu ihren Schützlingen, nicht direkt, aber sie spürte eine starke Verbindung zu ihm und wollte ein Auge auf ihn haben, darauf achten, dass es ihm hier gut ging, dass er sich trotz allem nicht zu allein fühlte. Er war lebenslustig, eine Frohnatur. Erzählte immer Geschichten. Heute hatte er behauptet, sein Papa sei bei der Polizei, ja sogar Polizeidirektor. Sie hatte ihm einfach zugestimmt, es ihn glauben lassen. Vielleicht glaubte er, sein Papa würde kommen und ihn vor der Krankheit retten. Morgen würde sein Vater vielleicht Feuerwehrmann sein, oder Cowboy.

Manchmal wusste sie besser als die jungen Leute, wie wichtig der menschliche Aspekt für die Kranken war. Nicht selten entschied der Lebenswille über Leben und Tod, war ausschlaggebender als die Krankheit selbst.

Ásta hatte ihre Arbeit in diesen zwanzig Jahren gut gemacht. Hatte sich immer bemüht, anderen Gutes zu tun, und das würde sie auch weiterhin machen, bis es an der Zeit war, dass die nächste Generation übernahm.

2012

HELGI

Bergþóra war schon zur Arbeit gegangen, als Helgi aufwachte. Es war nach neun. Er hatte gut geschlafen und sich nicht herumgewälzt. Das Sofa war unter den gegebenen Umständen wirklich ein angenehmer Schlafplatz. Sie hatte ihn nicht geweckt und sich auch nicht verabschiedet. Aber damit hatte er schon gerechnet.

Am liebsten hätte er sofort ein bisschen im Peter-Duluth-Buch geschmökert, doch stattdessen stand er auf. Es lockten so viele Versuchungen, seit er nach Island zurückgekehrt war und noch keinen Job hatte, da vergingen die Stunden leicht mit Müßiggang. Aber das kam nicht in Frage. Er war immer gut organisiert und gewissenhaft gewesen, und jetzt musste er schnellstmöglich und diszipliniert seine Abschlussarbeit zu Ende bringen.

Und er musste eine Entscheidung treffen, was seine Zukunft anging. Eigentlich musste er froh sein, dass ihm mehrere Möglichkeiten offenstanden, dass er jung war und die Zukunft vor sich hatte, aber die Ungewissheit belastete ihn, ja sie machte ihm sogar ein wenig Angst.

Sein Professor in Großbritannien hatte den Kontakt zu einem Unternehmen hergestellt, das Interesse an Helgi zeigte und ihm sogar einen Job in England in Aussicht gestellt hatte. Helgi fand das spannend, hatte schon immer im Ausland arbeiten wollen, und jetzt standen ihm alle Türen offen. Nur Bergþóra war von diesem Gedanken alles andere als begeistert; bis heute war dieser Konflikt ungeklärt. Sie hatte vor allem gesagt, dass sie wenigstens an einen etwas wärmeren Ort ziehen sollten, wenn sie schon weiterhin im Ausland bleiben müssten. Einen konkreten Vorschlag hatte sie nicht gemacht. Mal abgesehen davon, dass es gar kein Jobangebot aus dem Süden gab. Außerdem wollte sie ihren Job in Island nicht aufgeben. Sie hatte sich für die Zeit seines Studiums beurlauben lassen, damit sie zusammen sein konnten, aber das war immer nur als befristete Lösung geplant gewesen. Jetzt war sie zurück auf ihrem Teamleiterposten. Sie war Sozialarbeiterin und stand unter enormem Druck, das empfand zumindest Helgi so, trotz seiner Erfahrungen aus dem Polizeidienst. Manchmal wünschte er sich, sie würde sich eine andere Arbeit suchen.

Und dann war da noch das andere Jobangebot. Helgi hatte einen Anruf von der Kriminalpolizei Reykjavík erhalten, vom Leiter der Abteilung für schwere Verbrechen, Mord und Körperverletzung. Dieses Team kannte Helgi noch nicht, denn während seines Sommerjobs bei der Polizei hatte er deutlich alltäglichere Aufgaben übernommen, von allem ein bisschen. Der Anruf kam völlig überraschend, der Mann musste über drei Ecken von Helgi erfahren haben. Andererseits war Helgi sehr erfolgreich im Studium und hatte einige gute Bekannte bei der isländischen Polizei. Wenn der Traum von einem Job im Ausland nicht wahr werden konnte, war die Reykjavíker Kriminalpolizei zugegebenermaßen die bestmögliche Alternative. Nach dem Anruf hatte es ein weiteres Gespräch gegeben, und jetzt lag die Entscheidung bei Helgi. Er konnte im Prinzip jederzeit einsteigen, er musste nur aktiv werden.

Mit Bergþóra hatte es natürlich schon ausführliche Diskussionen darüber gegeben, und sie hatte ihre Meinung ziemlich deutlich gemacht. Sie verstand nicht, warum er das Jobangebot aus Reykjavík nicht schon längst angenommen hatte. »Die warten nicht ewig, Helgi«, hatte sie immer wieder gesagt. Dabei drängte die Entscheidung nicht besonders. Offensichtlich war er derjenige, den der Abteilungsleiter in seinem Team haben wollte, und er hatte keinerlei Druck gemacht. Helgi wollte noch ein bisschen die Freiheit genießen, den Traum vom Job im Ausland noch nicht endgültig zerplatzen lassen, sondern sich langsam und behutsam davon verabschieden; wollte erst einmal richtig in Reykjavík ankommen, wo seine Karriere beginnen und mit Sicherheit auch enden würde. Das war schon in Ordnung so. Er würde sich bestimmt nicht langweilen, und er wusste, dass er ein guter Kriminalkommissar sein würde. Außerdem hatte er ja immer noch die alten Krimis, in die er flüchten konnte, wenn ihm der Alltag zu belastend wurde.

Er stand noch ganz am Anfang seiner Abschlussarbeit. Es war ein Leichtes gewesen, Zugang zu den alten Polizeiakten zu erhalten, unter der Voraussetzung, dass der Aufsatz nicht sofort für die Allgemeinheit zugänglich gemacht würde. Wahrscheinlich hatte auch mit hineingespielt, dass die Ereignisse, über die er schrieb, inzwischen gut dreißig Jahre zurücklagen. *Die Todesfälle im Tuberkulosesanatorium* hatten die Zeitungen damals getitelt. Helgi hatte sich die gesamte Berichterstattung angesehen. Die Morde waren zwar grauenhaft gewesen, aber gleichzeitig so fern, dass er manchmal das Gefühl hatte, einen alten Krimi zu lesen, wenn er die vergilbten, mit Schreibmaschine getippten Akten durchsah. Es waren Menschen aus Fleisch und Blut getötet worden, aber für Helgi waren die Mordfälle in erster Linie ein interessantes Rätsel. Er hatte schon lange davon gewusst, lange bevor er den Entschluss gefasst hatte, darüber zu schreiben. Im Laufe des Studiums war ihm die Idee gekommen, sich in seiner Abschlussarbeit damit zu beschäftigen und, bewaffnet mit dem Wissen der Kriminologie, einen der berühmtesten Mordfälle Islands wissenschaftlich zu untersuchen.

Am meisten aber reizte ihn an dem Fall, dass das Rätsel gut dreißig Jahre später noch immer nicht ganz gelöst war.

1983

TINNA

Yrsa war ermordet worden.

Das war Tinna sofort klar gewesen, als sie die Leiche gesehen hatte. Alles andere war ausgeschlossen. Die Station war mit Eintreffen der Polizei sofort abgeriegelt worden, und die Beamten hatten Tinna aus dem Gebäude gebracht. Eine junge Polizistin hatte sich um sie gekümmert, sie getröstet, obwohl sie eigentlich gar keinen Trost brauchte. Der Schock war schnell vorübergegangen. Sie hatte Yrsa nicht gerade ins Herz geschlossen und trauerte dementsprechend nicht wirklich um sie. Wenn sie ganz ehrlich war, kam ihr Yrsas Tod sogar ganz gelegen, soweit man so einen Gedanken überhaupt denken durfte. Natürlich hatte sie Mitleid mit ihr, vor allem angesichts der Qualen, die sie hatte erleiden müssen, aber das Leben auf der Station würde ohne Yrsa definitiv angenehmer sein. Sie ging davon aus, dass Elísabet Yrsas Posten übernahm, und das war eine schöne Vorstellung. Tinna und Elísabet verstanden sich sehr gut, waren fast so etwas wie Freundinnen, und auch vom Alter her war ihr die fünfunddreißigjährige Elísabet deutlich näher als Yrsa.

So schlecht, wie Elísabet immer über Yrsa geredet hatte, kam Tinna kurz und nicht ganz ernsthaft der Gedanke, dass vielleicht Elísabet die Sache in die Hand genommen hatte. »Sie steckt in der Vergangenheit fest«, hatte Elísabet nicht nur einmal gesagt, mit diesen oder ähnlichen Worten. Aber es war eines, so etwas zu sagen, und etwas völlig anderes, eine derartige Gräueltat zu begehen … Nein, das konnte nicht sein. Irgendein Psychopath hatte das getan, das musste jemand von außerhalb gewesen sein.

»Sie haben es sich bestimmt schon gedacht: Yrsa ist ermordet worden«, hatte der Kommissar gesagt. Ein ziemlich schmucker Kerl, aber viel zu jung, um solche Ermittlungen zu leiten, dachte Tinna bei sich. Er kam aus Reykjavík. Und er trug keinen Ring, daher überlegte Tinna, ob sie ihn wohl zu einem Date bewegen konnte, wenn diese Sache hier erledigt war, unter angenehmeren Umständen. Das wäre ja was, wenn Yrsas Tod etwas so Erfreuliches mit sich brächte …

»Ja, das habe ich mir schon gedacht«, antwortete sie mit leiser Stimme. Sie versuchte es so aussehen zu lassen, als müsste sie sich noch vom Anblick der Leiche erholen. »Das war … das war wirklich furchtbar.«

Der Kommissar, der sich als Sverrir vorgestellt hatte, nickte.

»Sverrir«, sagte sie dann, »können Sie mir erklären, was hier passiert ist?«

Die Frage überrumpelte ihn sichtlich. Vermutlich hatte er sie selbst stellen wollen und nicht damit gerechnet, dass stattdessen er befragt würde.

»Die Ermittlungen laufen, daher kann ich im Moment leider nichts dazu sagen.«

»Ich habe gesehen, dass ihr jemand zwei Finger abgetrennt hat. Den Daumen und den Zeigefinger, wie mir schien. Wissen Sie, warum?«

»Auch zu diesen Details kann ich Ihnen nichts sagen, Tinna«, antwortete er zögernd. »Ich habe gelesen, was Sie den Kollegen nach dem Leichenfund gesagt haben.« Er schwieg kurz, dann sprach er weiter. »Möchten Sie Ihrem Bericht noch etwas hinzufügen?«

Tinna schüttelte den Kopf. Sie hatte die Ereignisse ziemlich präzise geschildert, trotz der Umstände. »Ich kann dem nichts mehr beifügen.«

»Die Eingangstür war nicht verschlossen, sagten Sie? Das war sicher ungewöhnlich, oder?«

»Ja, sehr ungewöhnlich. Zurzeit sind hier keine Patienten, wir beschäftigen uns nur mit Analysen und administrativen Aufgaben und warten auf eine Entscheidung, wie es in Zukunft weitergehen soll. Wir arbeiten hauptsächlich für das Krankenhaus Akureyri und müssten eigentlich auch dort vor Ort sein, aber das Gebäude hier soll wenigstens zu einem gewissen Grad in Betrieb bleiben, wahrscheinlich aus politischen Gründen. Ich bin morgens immer als Erste da, daher hat mich das schon überrascht, und ich war etwas beunruhigt. Ich konnte natürlich nicht wissen, was passiert war, hatte ja keine Ahnung, aber ich fühlte mich unwohl.«

»Verstehe«, sagte er nachdenklich. »Können Sie mir sagen, welche Personen einen Schlüssel zu dem Gebäude haben?«

»Na ja, Yrsa könnte durchaus jemanden reingelassen haben«, antwortete Tinna.

»Natürlich, wir schließen keine Möglichkeit aus. Aber wir sollten als Allererstes diejenigen ausschließen, die mit ihr arbeiten.«

»Meinen Sie Leute wie mich?«, fragte sie in leicht spöttischem Ton. Sverrirs Blick nach zu urteilen fand er diesen Kommentar unangemessen.

»Ganz genau«, gab er zurück.

»Tja, wir sind im Moment nur zu fünft hier, abgesehen von Yrsa. Ich, zwei Ärzte, Elísabet und unser Hausmeister. Alles eher keine Mörder, wenn Sie mich fragen.«

»Zwei Ärzte, ja. Der eine heißt Þorri, stimmt's?«

»Þorri, ja, der jüngere. Ein guter Mann, ein fähiger Arzt, wie mir scheint«, sagte sie, obwohl sie ihn nicht leiden konnte. Eingebildet und schwierig, trotz seines Alters so was von rückständig: Für ihn war der Arzt der einzig Entscheidende, wichtiger als alle anderen. Der alte Arzt, Friðjón, war das komplette Gegenteil von Þorri. Seit Jahrzehnten gehörte Friðjón quasi zum Inventar des Sanatoriums, noch länger als Yrsa. Oberarzt kurz vor der Rente, und trotzdem so jovial und nett. Immer hilfsbereit und vom ersten Tag an freundlich zu Tinna. Wenn schon jemand sterben musste, war Tinna froh, dass nicht er es gewesen war.

»Gab es irgendwelche Verbindungen zwischen Þorri und Yrsa?«, fragte Sverrir.

»Verbindungen? Wie meinen Sie das? Sie haben natürlich zusammen gearbeitet, aber weiter kannten sie sich meines Wissens nicht.« Tinna beugte sich vor und fügte hinzu: »Yrsa war nicht gerade gesellig. Ehrlich gesagt kann ich Ihnen kaum etwas über sie sagen. Sie war fleißig, sorgfältig und gewissenhaft, aber ansonsten keine interessante Person. Ich weiß, es ist hässlich, so etwas zu sagen, aber ich denke, Sie legen Wert auf Ehrlichkeit, wo so viel auf dem Spiel steht.«

Endlich lächelte Sverrir. »Das kann man wohl sagen.« Dann fügte er hinzu: »Zwei Ärzte also. Friðjón und Þorri. Und Krankenschwester Elísabet.«

»Elísabet ist schon einige Jahre länger hier als ich«, sagte Tinna. »Von ihr kann ich nur Gutes berichten. Ich denke, sie übernimmt Yrsas Posten.«

»Und wie gefällt Ihnen das?«

»Darüber habe ich noch nicht groß nachgedacht. Ich nehme es einfach so hin. Ich glaube, Elísabet ist gut in dem, was sie tut.«

Und klar, es war definitiv eine Verbesserung, sie als Chefin zu haben anstelle von Yrsa, aber das sagte sie lieber nicht laut.

»Ist das ein guter Posten?«

»Yrsas Stelle?«, fragte Tinna zurück, um Zeit zum Nachdenken zu gewinnen. »Tja, ich denke schon …«

Und diesmal sagte sie, was sie dachte, und bereute es sofort: »Meinen Sie, ob der Posten so gut ist, dass man dafür jemanden umbringen würde?«

Sverrir guckte irritiert, doch dann nickte er lächelnd. »Ja, so könnte man es auch formulieren …«

»Das glaube ich nicht. Das muss jemand Externes gewesen sein.«

»Ja, das ist sicher am wahrscheinlichsten«, sagte Sverrir, doch er klang nicht wirklich überzeugt.

»Wenn nicht, dann wird es Broddi gewesen sein«, sagte Tinna schließlich, obwohl sie selbst nicht daran glaubte. Sie wollte einfach nur den Gedanken loswerden, dass ein Arzt oder eine Krankenschwester eine solche Gräueltat verantworten konnte.

»Der Hausmeister. Glauben Sie? Warum?«

»Warum er?« Sie zögerte. »Tja, ich weiß nicht, aber … er hat einen Schlüssel, und …«

»… und ist nur ein einfacher Hausmeister«, vervollständigte Sverrir ihren Satz.

Tinna senkte den Blick, wollte keine roten Wangen kriegen. »So meinte ich das nicht. Ich kenne ihn nicht gut. Er ist schon seit Jahrzehnten hier, genau wie Friðjón, nur nicht ganz so lange, glaube ich. Er ist zurückhaltend, ein ruhiger Typ …« Sie schwieg einen Moment und fügte dann hinzu: »Ich meinte eigentlich nur, vielleicht wäre es gut, zuerst mit ihm zu reden.«

»Ich werde selbstverständlich mit Ihnen allen sprechen, auch mit Broddi.« Er lächelte.

Auf einmal baute sich ein unangenehmer Druck in ihrem Bauch auf, vielleicht ein Zeichen ihres schlechten Gewissens, denn sie befürchtete, dass sie Broddi mit ihrem unbedachten Kommentar in Schwierigkeiten gebracht hatte. Dabei war Broddi immer nett zu ihr gewesen.

2012

BRODDI

Broddi hatte Kaffee aufgesetzt, auf die alte Art. Er hatte nie auf eine moderne Kaffeemaschine umsteigen wollen, vollautomatisch und trotzdem so kompliziert. Solche Maschinen hatte er bei Freunden und Bekannten erlebt, das war nichts für ihn. Filterkaffee war also das Einzige, was er dem jungen Mann anbieten konnte, der sich angekündigt hatte. Kaffee und Plunderteilchen. Broddi war anlässlich des Besuchs extra zur Bäckerei gelaufen. Die Auswahl war nicht besonders, er hatte den Eindruck, dass ein Großteil des süßen Gebäcks gar nicht vor Ort gebacken, sondern tiefgefroren geliefert und dann nur noch aufgebacken wurde. Alles ging den Bach runter, nichts war mehr wie früher. Bis auf den Kaffee natürlich.

So langsam machte sich auch das Alter bemerkbar. In gewisser Weise war er schon immer eine alte Seele gewesen, aber mittlerweile hatte er zweiundsiebzig Jahre auf dem Buckel, und sein Körper machte nicht mehr ganz so mit. Obwohl er alles in allem immer noch recht fit war.

Neun Jahre war es her, dass seine Frau gestorben war. Der junge Mann, Helgi, hatte ausgerechnet an ihrem Todestag angerufen. Wahrscheinlich, nein, ganz sicher ein reiner Zufall, aber vielleicht hatte Broddi aus diesem Grund Helgis Anliegen so gut aufgenommen. Normalerweise sprach er nicht über die Ereignisse damals im Norden. Aber an dem Tag, an dem Helgi anrief, fühlte Broddi sich einsam, vermisste seine Frau und lud den Mann zu sich nach Hause ein.

Sie war erkrankt, hatte erfahren, dass man nichts tun konnte, die Krankheit war unheilbar, ihr blieben nur noch wenige Monate. Diese Nachricht war für sie beide ein Schock gewesen, und während sie quasi vom ersten Tag an in Schwermut abgetaucht war, hatte Broddi versucht, sich nicht unterkriegen zu lassen, hatte Pläne geschmiedet, wollte irgendetwas Unvergessliches für sie auf die Beine stellen, aber davon wollte sie nichts wissen. Und dann, an einem kalten Wintermorgen wenig später, fand er sie in der Garage. In dieser Nacht hatte sie aufgegeben, war in die Garage gegangen, hatte sich ins Auto gesetzt und sich für immer vom Leben verabschiedet. Er wusste, dass es für sie eine Erlösung gewesen war, denn die Krankheit hätte mit ziemlicher Sicherheit ein qualvolles Ende bedeutet. In gewisser Weise konnte er sie verstehen, aber trotzdem war sein stärkstes Gefühl Wut gewesen. Er hatte sich noch nicht einmal richtig von ihr verabschieden können. Später war die Wut in Trauer umgeschlagen, und auch jetzt, neun Jahre später, war sie das vorherrschende Gefühl. Jetzt war nur noch er übrig, denn sie hatten auch keine Kinder.

Zur Verwunderung vieler hatte er entschieden, das Auto, in dem sie sich das Leben genommen hatte, zu behalten. Es nicht zu verkaufen, sondern weiter zu nutzen, den alten weißen Kombi. Irgendwie hatte er das Gefühl, dass er seine Frau in dem Wagen spürte, er fühlte sich wohl darin, obwohl das Auto Tatort und Werkzeug zum Selbstmord gewesen war. Aus dem kleinen Einfamilienhaus hingegen war er ausgezogen, hatte das Haus und die Garage anderen Leuten überlassen und war in eine kleinere Wohnung in einem alten Mehrfamilienhaus in Vesturbær gezogen.

Broddi und seine Frau hatten sich erst spät kennengelernt, mit etwa fünfzig, waren bis dahin immer allein gewesen, ohne Kinder. In dieser Frau hatte Broddi endlich eine Seelenverwandte gefunden. In den ersten Jahren wohnten sie noch in Akureyri, bis sie ein Jobangebot aus Reykjavík bekam, und er beschloss, dass er mit ihr gehen würde. Er war inzwischen fünfundfünfzig Jahre alt.

Dieser Helgi, der jetzt auf dem Weg zu ihm war, war am Telefon relativ vage geblieben, aber er hatte gesagt, er schreibe gerade seine Abschlussarbeit über die Todesfälle im Sanatorium. Er hatte Broddi versichert, dass alles, was sie besprächen, nur in den Aufsatz einfließe und nicht an die Medien gelange. Ein Aufsatz im Fachbereich Kriminologie, hatte er gesagt. Kriminologie – was es nicht alles gab.

Die Türklingel schrillte, sie klang etwas schief, war in die Jahre gekommen, wie so vieles in diesem Haus. Broddi erhob sich vom Küchentisch und ging zur Gegensprechanlage.

»Hier ist Helgi Reykdal, ich bin mit Broddi verabredet.« Die Stimme klang undeutlich und verzerrt, es rauschte laut in der Leitung.

»Kommen Sie hoch, dritter Stock.«

Broddi stand in der Tür und wartete, bis Helgi um die Ecke kam und die letzten Treppenstufen nahm. In diesem alten Haus gab es keinen Lift, was natürlich bedeutete, dass Broddi sich früher oder später etwas anderes suchen musste.

»Hallo, Helgi ist mein Name.« Der Gast steckte ihm die Hand entgegen. Seine Stimme war fest, entschieden, aber er war kleiner, als Broddi gedacht hatte. Er hatte dunkles Haar und trug einen gepflegten Vollbart. Broddi schätzte ihn auf um die dreißig, vielleicht ein bisschen älter, vielleicht aber auch jünger. So sehen also Kriminologen aus, dachte Broddi und bat den Besucher ins Wohnzimmer.

Das Plundergebäck stand schon auf dem Tisch, der Kaffee wartete in der Küche. Broddi holte ihn und schenkte erst seinem Gast ein, dann sich selbst. Er bot Helgi Milch und Zucker an, doch der trank seinen Kaffee schwarz.

»Und Sie schreiben also einen Aufsatz, sagten Sie?«, begann Broddi nach einem kurzen Schweigen das Gespräch.

»Ja, meine Abschlussarbeit, ich studiere in England.«

»Kriminologie?«

»Genau.«

»Hier ist schon viel geschrieben worden«, sagte Broddi. »Hier wohnte mal ein berühmter Schriftsteller, hat jahrzehntelang allein gelebt, wie ich.«

»Ach wirklich?«, sagte Helgi.

»Tja, ja. Aber warum interessieren Sie sich für diesen alten Fall?«

»Das war ein ungewöhnlicher Fall, sehr ungewöhnlich. Furchtbar«, sagte Helgi.

Broddi nickte.

Helgi fuhr fort: »Und nicht gänzlich aufgeklärt, was die Sache noch interessanter macht.«

»Ach ja?«, sagte Broddi.

»Wie meinen Sie das?«, hakte nun wiederum Helgi nach.

»Nicht aufgeklärt? Ich dachte, die hätten damals zwei und zwei zusammengezählt und, ja, es als eine Art Geständnis angesehen, als …«

Helgi fiel ihm ins Wort: »Eine Art Geständnis? Interessant, dass Sie das so formulieren. Die Polizei konnte sich natürlich nicht darauf stützen, nicht wirklich, aber in meiner Arbeit werde ich das von ganz verschiedenen Seiten betrachten. Das ist mein Ziel.«

»Aber wurden die Ermittlungen nicht kurz darauf eingestellt?«, fragte Broddi. »Das deutet doch darauf hin, dass die Polizei sich sicher war.«

Helgi nickte.

»Auch die Polizei macht Fehler.«

Broddi trank einen Schluck Kaffee und sagte dann: »Haben Sie möglicherweise Ihre eigene Theorie? Wollen Sie den Fall jetzt lösen, dreißig Jahre später?«

Broddi wollte den Besucher nicht vergraulen, sie hatten ja gerade erst angefangen, sich zu unterhalten, aber er konnte der Versuchung nicht widerstehen, ihn ein bisschen aufzuziehen. Der Kaffee war noch heiß, und das Gebäck stand unangetastet auf dem Tisch.

Doch Helgi ließ sich nicht beeindrucken.

»Nein, das habe ich nicht vor.« Er lächelte. »Ich glaube, dieser Fall gibt auch so genügend Stoff her, selbst wenn man nicht Polizei spielt. Zumal dafür auch zu viel Zeit vergangen ist.«

»Tja, ja«, sagte Broddi. »Ich hoffe, ich kann Ihnen trotzdem irgendwie helfen. Alle Details hat man natürlich nicht mehr im Kopf.«

»Bevor wir zum Tatbestand kommen …«, begann Helgi, dann zögerte er. Broddi fühlte sich wie bei einem Verhör, so förmlich, wie Helgi auftrat, und nicht wie bei einem lockeren Kaffeeplausch. Dabei saß er lediglich einem Studenten gegenüber, einem Kriminologen natürlich – aber eben keinem Polizisten.

Helgi sprach weiter: »Ich habe Informationen über Ihre damaligen Kollegen eingeholt, über die Personen, die in den polizeilichen Akten am häufigsten auftauchen … Die sind alle noch am Leben, oder?«

»Bin ich der Erste, mit dem Sie sprechen?«, fragte Broddi zurück.

Helgi nickte. »Ja«, sagte er nach einem kurzen Schweigen.

»Wie kommt's?«

»Tja, es gibt verschiedene Gründe. Zum Beispiel, dass Sie in Reykjavík wohnen …«

»Ja, genau wie Tinna.«

»Ja, wie Tinna. Die wohnt meinen Recherchen nach auch in Reykjavík.«

»Das stimmt.«

»Haben Sie heute noch Kontakt oder sind sogar befreundet?«

»Das kann man nicht behaupten, aber wir wissen voneinander.«

»Haben Sie ihre Telefonnummer? Die steht nicht im Telefonbuch.«

Broddi antwortete nicht sofort. Möglicherweise wollte Tinna nicht mit Helgi reden. Er überlegte kurz, ob er lügen sollte, um sie zu schützen, behaupten sollte, dass er keine Nummer habe. Andererseits wollte er sich beweisen, dem jungen Mann zeigen, dass er etwas beitragen konnte. Also stand er auf, holte sein altes Handy und diktierte Helgi Tinnas Nummer.

»Danke, jetzt kann ich sie hoffentlich endlich erreichen.«

»Verschiedene Gründe, sagten Sie?«, hakte Broddi nach.

Helgi verstand nicht, bat um eine Erklärung.

»Sie sagten, es gebe verschiedene Gründe dafür, dass Sie als Erstes mit mir sprechen, unter anderem, dass ich in Reykjavík wohne. Was sind die anderen Gründe?«, fragte Broddi, obwohl er glaubte, die Antwort bereits zu kennen.

»Tja … Vielleicht fand ich es spannend, mit Ihnen zu sprechen, nachdem man damals so mit Ihnen … also … nach der Behandlung, die Sie damals durch meine Kollegen erfahren haben.«

»Kollegen?«

»Also, ich meinte natürlich … die Polizei«, antwortete Helgi, dessen Stimme jetzt nicht mehr ganz so sicher klang.

»Ich dachte, Sie wären Kriminologe«, sagte Broddi und versuchte, seine Verärgerung nicht allzu deutlich zu zeigen.

»Ähm, ja, doch, ich bin Student. Aber ich habe vorher eine gewisse Zeit bei der Polizei gearbeitet. Daher auch mein Interesse an der Kriminologie.«

Broddi nickte, sagte aber erst mal nichts weiter.

»Na schön, was wollen Sie wissen?«, fragte er schließlich.

»Also, ich fände es interessant, Ihre Sicht auf die Dinge zu erfahren. Ob Sie eine Theorie dazu haben, was damals wirklich passiert ist …«

»Yrsa wurde ermordet, das ist Fakt, und wir wissen auch genau, wer es war«, antwortete Broddi entschieden. »Aber die Gründe dafür werden wir wohl nie erfahren.

Es gab schon damals keine Hinweise, und ganz sicher werden auch jetzt keine mehr auftauchen, dreißig Jahre später.«

Helgi guckte nachdenklich, beugte sich vor und schien etwas sagen zu wollen, doch dann zögerte er, lehnte sich wieder zurück und sagte schließlich: »Die Polizei hat also zu Beginn einen Fehler gemacht, den falschen Mann gefasst, aber hinterher konnte sie den Fall dann doch noch zufriedenstellend lösen?«

Broddi lachte, ein tiefes, ehrliches Lachen. »Den Fall lösen? Nein verdammt, der hat sich von selbst gelöst, damit hatte die Polizei überhaupt nichts zu tun. Aber sie haben genau wie alle anderen begriffen, dass die Sache sich erledigt hatte. Dieser Kommissar, Sverrir, trägt die Schuld an dem ganzen Schlamassel, dieser Taugenichts. Der hatte Glück, dass ihm die Lösung in die Hände fiel. Und hat er trotzdem dickes Lob eingestrichen? Ich denke schon.«

»Da bin ich mir nicht so sicher, ehrlich gesagt«, wandte Helgi ein.

»Mit was?«, fragte Broddi.

»Ich bin nicht sicher, dass das ein zufriedenstellendes Ergebnis war. Aber wie gesagt, mein Ziel ist es nicht, den Fall bis ins Detail aufzurollen. Meine Arbeit konzentriert sich vielmehr auf die Ermittlungen und die damaligen Vorgehensweisen.«

Broddi nickte, dann lächelte er. »Ja, ich will mich da auch nicht einmischen. Ich habe es damals selbst miterlebt, auf unangenehme Weise am eigenen Leib erfahren, und für mich ist der Fall abgeschlossen. Mir ist nie in den Sinn gekommen, dass jemand anders Yrsa das angetan haben könnte. Das ist völlig undenkbar.«

»Meinen Sie jemand anders aus dem Kollegium?«

»Schon, ja. Natürlich wurde auch untersucht, ob jemand Externes damit zu tun hatte, glaube ich, aber auch das ist ziemlich weit hergeholt.«

»Von Ihnen kriege ich also keine neue Theorie zu hören?«

»Ganz bestimmt nicht, nein.«

»Was für ein Mensch war Yrsa?«

Die Frage überraschte Broddi.

»Ich kannte sie schon lange. Sie arbeitete schon länger im Sanatorium als ich, ein paar Jahre zumindest. Daher …« Er zögerte. »Ich kannte sie schon lange, wie gesagt, aber nicht gut, das kann ich nicht behaupten. Ich glaube, niemand hat Yrsa gekannt. Sie war sehr fleißig, kam früh und ging spät, hat sich vor keiner Extraschicht gedrückt. Ich wüsste nicht, dass sie jemals Feinde gehabt hätte, aber Freunde hatte sie auch keine.«

»Und diese furchtbare Behandlung, die sie erfahren hat, die Folter, muss man sagen. Haben Sie nie darüber nachgedacht, was dahintersteckte? Das geht aus den Akten nicht hervor.«

Broddi schüttelte den Kopf. »Natürlich hat man darüber nachgedacht, alles andere wäre ja komisch gewesen. Ich habe die Leiche nicht gesehen, im Gegensatz zur armen Tinna. Schon allein die Beschreibung war furchtbar.

Aber ich habe nie eine logische Erklärung dafür gefunden. Für so etwas gibt es einfach keine Erklärung.«

»Und Friðjón?«

»Friðjón?«

»Was können Sie mir von ihm erzählen?«

»Da gibt es nicht viel zu erzählen. Er war der Oberarzt. Fing dort vor mir an, leitete lange Zeit das Sanatorium. Niemand wagte es, ihm zu widersprechen.«

»Ein guter Arzt?«

»Gut? Ich denke nicht, dass ich das beurteilen kann. Ich nehme an, er beherrschte sein Fach. Davon gehe ich aus.«

»Und Þorri? Der arbeitet immer noch als Arzt, oder?«

»Er ist hauptsächlich im Norden, wie ich gehört habe«, sagte Broddi. »Habe ihn seit Jahren nicht gesehen. Er war derjenige, der mich loswerden wollte, wie Sie vielleicht wissen.«

»Nein, davon weiß ich nichts«, entgegnete Helgi. Im selben Moment ging auch Broddi auf, dass Helgi davon natürlich nichts wissen konnte. Es war ja nicht so, dass nach den Todesfällen auch Personalangelegenheiten des Sanatoriums in der Zeitung gestanden hätten. Der Hausmeister war vor die Tür gesetzt worden, und es hatte niemanden interessiert.

»Ja, er wollte mich dort nicht mehr haben.«

»Wissen Sie warum?«

»Das ist doch ziemlich offensichtlich, oder nicht?«

Helgi antwortete nicht sofort. Schließlich sagte er: »Erzählen Sie mir, wie es dazu kam.«

»Das lag natürlich daran, dass ich in Untersuchungshaft saß. Er hat damals irgendwelche anderen Gründe vorgeschoben, aber nach der U-Haft war alles anders. Es ist schwierig, in einem so kleinen Ort seinen Ruf zurückzuerlangen.«

Broddi bemühte sich, die Tränen zurückzuhalten. Er wollte keine Schwäche zeigen. Das passte nicht zu ihm.

»Broddi …« Wieder beugte Helgi sich vor. »Broddi, wären Sie bereit, mir davon zu erzählen? Von der Untersuchungshaft, meine ich?« Helgi klang wohlwollend und freundlich.

Broddi stand auf. »Tut mir leid. Ich möchte darüber nicht reden, und ich muss auch langsam mal, ich habe noch eine Verabredung, das hatte ich fast vergessen. War nett, Sie kennenzulernen, Helgi.«

1983

TINNA

Tinna hatte nicht damit gerechnet, dass sie so schnell wieder mit der Polizei zu tun haben würde. Ihrer Meinung nach hatte sie Sverrirs Fragen präzise beantwortet. Natürlich war sie eine wichtige Zeugin, das war ihr bewusst, und wenn sie ehrlich war, genoss sie diesen Status sogar ein wenig. Die Leute schenkten ihr dieser Tage besonders viel Aufmerksamkeit – das sei doch sicher ein großer Schock gewesen, ob man irgendetwas für sie tun könne? Und dann gab es auch Leute, die einfach nur alles aus erster Hand erfahren wollten. Manchmal ließ sie sich überreden, zierte sich zunächst etwas, das erzähle sie jetzt wirklich im Vertrauen, die Polizei habe ihr verboten, darüber zu reden, während die Ermittlungen noch liefen. Sie erzählte natürlich nicht die ganze Geschichte, aber es machte ihr großen Spaß, von den Fingern zu berichten, die von der Hand abgeschnitten oder abgehackt worden waren und blutig auf dem Schreibtisch lagen. Genau auf solche Details waren ihre Freunde aus, und auf einmal hatte sie deutlich mehr »Freunde« als vorher. Tief in ihrem Inneren wusste sie, dass eigentlich doch Angst dahintersteckte, dass ihre Lockerheit wahrscheinlich eine Art Schutzmechanismus war. Ihre Kollegin war auf grausame Weise ermordet worden und der Mörder noch auf freiem Fuß – möglicherweise war es sogar jemand aus dem Kollegium. Nach der Untersuchung der Leiche hatte die Polizei den Sanatoriumsmitarbeitern mitgeteilt, die Todesursache sei Ersticken gewesen. Die abgetrennten Finger wurden nicht erwähnt.

Diesmal hatte die Polizei Tinna gebeten, auf die Wache in der Þórunnarstræti zu kommen. Der Anruf hatte sie um die Mittagszeit erreicht, und so bat sie bei Friðjón um Erlaubnis, auf die Wache zu fahren, um die Polizei zu unterstützen, wie sie es nannte.

Auf dem Weg zur Wache war Tinna kurz an ihrer Wohnung vorbeigefahren, was kein großer Umweg war, und hatte einen hübscheren Mantel angezogen. Sie war Sverrir seit der ersten Befragung nicht mehr begegnet und freute sich auf das Wiedersehen. Er hatte ihr gefallen, und sie war entschlossen, in dieser Hinsicht etwas zu unternehmen, bevor er zurück nach Reykjavík verschwand. Daher passte es ihr ganz gut, dass die Ermittlungen nicht so schnell vorangingen, obwohl die Situation natürlich nicht ganz angenehm war, da theoretisch auch sie unter Verdacht stand. Aber sie konnte sich beim besten Willen nicht vorstellen, dass jemand, der bei Sinn und Verstand war, ihr diese Gräueltat zutraute.

Auf der Wache wurde Tinna in ein Büro geschickt, und die Enttäuschung war groß, als dort nicht Sverrir, sondern eine ihr unbekannte Frau am Schreibtisch saß. Sie zögerte, hegte noch die schwache Hoffnung, dass eine von ihnen am falschen Ort war.

»Entschuldigen Sie, ich bin mit Sverrir verabredet, von der Kriminalpolizei«, sagte sie schließlich bestimmt. Sie war niemand, der sofort aufgab.

Die Frau saß ruhig da und lächelte, aber ihr Lächeln war schwer zu deuten.

»Sverrir ist beschäftigt, Sie müssen mit mir vorliebnehmen. Setzen Sie sich doch bitte.«

Tinna gehorchte unwillig und klopfte unsichtbaren Staub von dem hübschen weißen Mantel, den Sverrir dann diesmal wohl nicht zu sehen bekommen würde.

Die Frau streckte die Hand aus.

»Hallo. Mein Name ist Hulda«, sagte sie. »Hulda Hermannsdóttir. Ich gehöre auch zur Kriminalpolizei.«

Hulda war deutlich älter als Sverrir, sie ging sicher schon auf die vierzig zu – ein Alter, an das Tinna mit Grauen dachte. Dementsprechend musste sie höhergestellt sein als Sverrir.

»Ja, hallo, schön, Sie kennenzulernen. Ich hatte einfach mit Sverrir gerechnet.« In süßlichem Ton fügte sie hinzu: »Dann sind Sie sicher seine Chefin.« Sie wollte versuchen, ein paar Pluspunkte zu sammeln.

Hulda stutzte kurz. Sie blickte auf die Papiere, die auf dem Tisch lagen, und schien sich vor einer Antwort zu drücken, doch schließlich sagte sie: »Tatsächlich leitet Sverrir die Ermittlungen. Ich bin mit ihm aus Reykjavík gekommen, um ihn … um ihn zu unterstützen.«

Tinna meinte, Bitterkeit herauszuhören.

»Verstehe …«

»Ich bin seine Aufzeichnungen durchgegangen, Ihr Gespräch, nachdem Sie die Leiche entdeckt haben«, sagte Hulda trocken. »Sie hatten da Ihre eigene Theorie. Wenn ich es richtig verstehe, glauben Sie, der Hausmeister hat den Mord begangen. Broddi.«

Mit einem solchen Gesprächseinstieg hatte Tinna nicht gerechnet. »Tja, ich … ja, möglicherweise habe ich das angedeutet, weil es mir am wahrscheinlichsten vorkam.«

»Haben Sie irgendwelche Gründe zu dieser Annahme?«

»Das kann ich nicht behaupten, aber … Sie wissen schon, das war ein brutaler Mord. Man kann sich nicht vorstellen, dass überhaupt irgendwer zu so etwas fähig ist.«

»Und da haben Sie beschlossen, uns auf Broddi hinzuweisen.«

»Ja, oder auch nicht. Ich finde es logisch, dass er besonders unter die Lupe genommen wird.« Sie hatte sich selbst in diese missliche Lage gebracht, jetzt musste sie sehen, wie sie da wieder rauskam. Sie sah Broddi vor sich, diesen liebenswürdigen Kerl, der es immer allen recht machen wollte.

»Sverrir wird sich heute eingehend mit ihm unterhalten, daher wollten wir das noch einmal genauer mit Ihnen klären«, erklärte Hulda nach einem kurzen Schweigen.

»Ja, also, mehr steckte eigentlich nicht dahinter. War das alles?« Tinna machte Anstalten aufzustehen.

»Noch nicht ganz, Tinna, nicht ganz. Ein brutaler Mord, so haben Sie das vorhin genannt, nicht wahr?«

»Ähm, ja. Anders kann man es wohl kaum bezeichnen, wenn jemand Leuten die Finger abhackt.«

»Genau. Sie wissen, dass diese Informationen vertraulich behandelt werden müssen.«

Endlich ging Tinna der Grund für dieses Treffen auf. Sie geriet ins Schwitzen, und ihr Herz schlug schneller.

Sie nickte.

»Ja. Natürlich.«

»Haben Sie mit anderen darüber gesprochen, Tinna?«

Sie antwortete nicht sofort.

»Ähm, ja, der eine oder andere hat mich darauf angesprochen.«

»Und haben Sie erzählt, was Sie gesehen haben?« Hulda sah sie an, ihr Blick war scharf und konzentriert. Tinna hatte das Gefühl, dass diese Hulda blitzgescheit war, eine Frau, die man sich besser nicht zur Feindin machte. Und es war ganz sicher keine gute Idee, sie anzulügen.

»Möglicherweise habe ich es einem oder zwei Freunden gegenüber erwähnt, im Vertrauen natürlich. Hat jemand darüber gesprochen?«

Hulda sagte nichts, sondern sah Tinna weiter streng an. Die fühlte sich mit jeder Sekunde unwohler.

»Ja, leider. Ich möchte noch einmal betonen, Tinna, dass das Ganze eine hochsensible Angelegenheit ist. Ich kann mir nicht vorstellen, dass Sie die Ermittlungen in irgendeiner Weise behindern möchten. Nicht wahr?«

»Nein, natürlich nicht«, antwortete Tinna und hoffte, dass sie mit dieser Verwarnung davonkam und es keine weiteren Konsequenzen geben würde.

Hulda stand auf.

»Schön, Tinna, sehr schön. Es hat mich gefreut, Sie kennenzulernen. Ich hoffe, Sie haben sich inzwischen etwas von dem Schock erholt?«

Tinna nickte und stand ebenfalls auf. Als sie das Büro verließ, lief sie Sverrir in die Arme.

»Ach, hallo«, sagte er freundlich. Und jetzt war sie sich ganz sicher, dass da ein Funke in seinen Augen war, ein Zeichen dafür, dass auch er sich für sie interessierte.

»Hallo. Schön, Sie zu sehen«, antwortete sie verlegen. Normalerweise war sie nicht so schüchtern, aber irgendetwas an diesem Mann brachte sie aus dem Konzept.

Sverrir sah Hulda an, dann wieder Tinna. »Es ist sicher gut gelaufen bei euch, oder?«

Tinna war nicht sicher, ob er die Frage an sie oder an Hulda gerichtet hatte, aber offenbar wusste er über den Anlass ihres Besuchs auf der Wache Bescheid. Was wiederum nicht verwunderlich war, schließlich arbeitete Hulda für ihn. Tinna nickte, hoffte, dass sie nicht allzu verdruckst wirkte.

»Prima«, sagte er und sah Tinna einen Moment in die Augen, aber es war schwer, seinen Blick zu deuten. Dann konzentrierte er sich wieder auf Hulda: »Hulda, sie hat schon wieder angerufen. Deine Tochter. Sie will mit dir sprechen.« Seinem Tonfall nach zu urteilen hatte er kein großes Verständnis für solche Anrufe.

»Ah, ja, okay«, antwortete Hulda. »Ich rufe sie nachher zurück.«

Tinna verdrückte sich, ohne sich von den beiden zu verabschieden.

2012

HELGI

Es wurde bereits Abend, war schon nach sieben. Nach dem Treffen mit Broddi hatte sich Helgi in ein Café gesetzt und bei einem Kaffee den Krimi mit Peter Duluth zu Ende gelesen. Dann beschloss er, am selben Ort auch noch zu Abend zu essen. Er bestellte ein Club-Sandwich mit Pommes und genoss das Essen, entspannte sich. Von Bergþóra hatte er den ganzen Tag nichts gehört, und auch er hatte keinen Kontakt aufgenommen. Nach solchen konfliktreichen Abenden gingen sie sich immer aus dem Weg, und leider waren diese Abende über die Jahre immer häufiger geworden. Manchmal überlegte er, ob ihre Beziehung möglicherweise an der Endstation angelangt war, obwohl noch keiner von ihnen etwas in diese Richtung gesagt hatte, jedenfalls nichts Ernstgemeintes. Aber er merkte selbst, wie sehr ihm diese Situation an die Nieren ging.

Helgi zögerte den Aufbruch hinaus, obwohl er das Buch ausgelesen hatte und auch die Kaffeetasse schon lange leer war. Er war das Treffen mit Broddi in Gedanken noch einmal durchgegangen, und es fiel ihm schwer, diesen Mann zu verstehen. Natürlich musste es hart für ihn sein, über die damaligen Ereignisse zu sprechen, zumal er als Einziger in U-Haft genommen worden und sein Name sogar in der Zeitung aufgetaucht war. Helgi hatte sich die alten Zeitungsberichte angesehen und festgestellt, dass die Medien nicht gerade zimperlich mit dem armen Mann umgegangen waren. Der perfekte Sündenbock, wie es schien, ein Außenseiter, vom Rande der Gesellschaft. Die ausgebildeten Sanatoriumsmitarbeiter hatten aufeinander achtgegeben, aber der Hausmeister war ihnen egal, obwohl er schon länger dort gearbeitet hatte als manch anderer. Helgi bewunderte die Courage aller Mitarbeiter des alten Sanatoriums, vom Gesundheitspersonal bis zum Hausmeister, damals, als die gefährliche Krankheit noch so viele Menschen dahingerafft hatte. Er hatte sich ein wenig in diese Jahre eingelesen und fand es kaum vorstellbar, wie schwer die Arbeit unter diesen Umständen gewesen sein musste.

Helgi hätte gern mit Broddi über die Untersuchungshaft und deren Auswirkungen gesprochen, das wäre sicher eine interessante Geschichte, aber er musste sich wohl oder übel noch ein wenig gedulden. Noch hatte er die Hoffnung jedenfalls nicht aufgegeben. Als Nächstes stand ein Gespräch mit Tinna auf dem Plan.

Sein Handy klingelte. Es war Bergþóra.

Helgi war kurz davor ranzugehen, doch im letzten Moment entschied er sich anders und stand auf. Es war an der

Zeit, den gestrigen Abend aufzuarbeiten, aber das wollte er lieber von Angesicht zu Angesicht tun als am Telefon. Er bezahlte die Rechnung und eilte in den Abend hinaus. Frühling lag in der Luft, aber die Kälte kroch ihm trotzdem bis in die Knochen. Er war viel zu dünn gekleidet und bereute es, dass er nicht die Daunenjacke angezogen hatte. Aber das wäre in gewisser Weise eine Kapitulation gewesen, das Eingeständnis, dass der isländische Frühling eine Illusion war, nicht viel mehr als ein schlecht kaschierter Winter.

2012

HELGI

Das Gespräch mit Bergþóra war nicht gut gelaufen. Es hatte zwar keinen lauten Streit wie am Vorabend gegeben – zum Glück, denn auf weiteren Besuch von seinen zukünftigen Kollegen konnte er gern verzichten –, aber richtig vertragen hatten sie sich auch nicht. Das brauchte einfach seine Zeit. Manchmal, wenn alles gut lief, sprachen sie sogar übers Kinderkriegen, das wollten sie beide irgendwann, aber sie hatten es immer aufgeschoben, wegen des Studiums oder weil einfach zu viel zu tun war. Doch im Moment war ein Kind ein abwegiger Gedanke, so wie es um ihre Beziehung bestellt war.

Helgi hoffte sehr, dass die Polizisten, die bei ihnen gewesen waren, ihren Kollegen nichts von dem Einsatz erzählt hatten. Nicht dass noch Magnús, der Mann, der ihn einstellen wollte, davon erfuhr.

Alles deutete darauf hin, dass Helgi auch diese Nacht auf dem Sofa schlafen würde. Bergþóra war schon ins Bett gegangen, obwohl es erst kurz nach neun war, und so hatte er den ganzen Abend für sich.

Ob es wohl zu spät war für einen Anruf bei Tinna? Es wäre super, wenn er sich mit ihr verabreden könnte und mit den Recherchen weiterkommen würde. Danach würde er sich an den Computer setzen und noch ein bisschen an seinem Text arbeiten. Als Betthupferl würde er sich ein Buch aus dem Regal aussuchen.

Ehe er es sich anders überlegen konnte, tippte er die Nummer ein. Manchmal war es gut, seinem Instinkt zu folgen.

Er hatte gerade die Hoffnung aufgegeben, dass jemand ranging, als auf einmal ein »Ja, hallo?« ertönte. Eine Frauenstimme, die fragend oder verwundert klang.

»Ist da Tinna Einarsdóttir?«

»Ja«, antwortete sie leicht misstrauisch.

»Entschuldigen Sie die späte Störung. Mein Name ist Helgi.« Beinahe hätte er hinzugefügt, dass er von der Polizei sei, was natürlich nicht stimmte. »Ich habe Ihre Nummer von Broddi erhalten. Sie kennen sich doch, oder?«

Es dauerte einen Moment, ehe sie antwortete. »Broddi? Ähm, ja, ich weiß, wer das ist. Was wollen Sie von mir?«

»Es ist nichts Drängendes, aber ich schreibe gerade einen Aufsatz über die Ereignisse im alten Sanatorium, die Todesfälle dort …«

Weiter kam er nicht. Sie hatte aufgelegt.

Mist.

Pech gehabt. Erst war er bei seinem Gespräch mit Broddi gestrandet, und jetzt weigerte sich Tinna, überhaupt mit ihm zu sprechen. Klarer hätte ihre Botschaft nicht sein können. Zum Glück gaben auch die alten Dokumente schon einiges her, aber die Gespräche mit den noch lebenden Beteiligten sollten ein Schwerpunkt seiner Arbeit werden. Nicht zuletzt deshalb hatte sich der Professor auf das ungewöhnliche Thema eingelassen.

Die Reaktionen von Broddi und Tinna überraschten Helgi dennoch. Natürlich hatte er nicht damit gerechnet, dass sie sich freuen würden, mit den damaligen Ereignissen konfrontiert zu werden, aber eine derartige Abfuhr hatte er nicht erwartet.

Dieses Verhalten ließ ihn aufmerken, rief ein Gefühl in ihm wach, das sich während seiner Zeit bei der Polizei öfter in ihm geregt hatte. Hatten sie etwas zu verbergen? Bot sich womöglich wirklich die Chance, das alte Rätsel zu lösen?

Er trat ans Bücherregal, jetzt brauchte er etwas Ablenkung.

Das Regal reichte vom Boden bis zur Decke, eine ganze Wand aus Büchern, hauptsächlich Krimis aus der Sammlung seines Vaters, plus seine eigenen Bücher. Ein ewiger Zankapfel zwischen ihm und Bergþóra. Sie interessierte sich nicht für Bücher, die in ihren Augen nur Platz raubten. Vor allem für die alten, zerfledderten isländischen Exemplare hatte sie keinerlei Verständnis. Einmal, im Streit, hatte sie die Sammlung wertlosen Müll genannt. Im herkömmlichen Sinne waren die Werke ganz sicher nichts wert, aber an eine solche Sammlung ließ sich ja schlecht ein Preisschild kleben – die beinahe vollständige Sammlung aller übersetzten Kriminalromane aus den Jahrzehnten, in denen sein Großvater und später sein Vater das Buchantiquariat geführt hatten. Helgis Vater war eines Tages einfach umgekippt, im Laden, inmitten der alten Bücher. Ein Kunde hatte ihn entdeckt, aber da war es schon zu spät. Der Arzt ging davon aus, dass er etwa eine Stunde zuvor einen Herzinfarkt erlitten hatte. Möglicherweise hätte man ihn noch retten können.

Zurück blieb das Antiquariat. Helgis Mutter näherte sich schon dem Rentenalter und hatte keine Lust, bis an ihr Lebensende im Laden zu stehen, sondern wollte ihren eigenen Interessen nachgehen. Und Helgi, das einzige Kind, konnte sich auch nicht vorstellen, die Bücher zu seiner Lebensaufgabe zu machen. Zu der Zeit war er schon nach Reykjavík gezogen, hatte Bergþóra kennengelernt und wollte nicht zurück in den Norden gehen. Aber die Bücher liebte er trotzdem.

Und so war es sein Job gewesen, nach der Beerdigung alles durchzusehen und zu entscheiden, welche Titel er behalten wollte. Das war leichter gesagt als getan, aber bei den alten Krimis stand seine Entscheidung sofort fest. Anschließend ging es um den Verkauf des Geschäfts, des Lagers und des kleinen Ladenlokals, alles schon lange abbezahlt und Eigentum von Helgis Vater. Es dauerte, bis sie einen Käufer fanden. Es gab zwar viele Interessenten für die Räumlichkeiten, aber die hatten nichts für Literatur übrig, und es war Helgis erklärtes Ziel, dass der Buchladen weitergeführt würde. Was schließlich tatsächlich gelang. Eine Witwe mittleren Alters kaufte den Laden, obwohl ihr Gebot deutlich geringer ausfiel als das einiger Mitbewerber. Weder Helgi noch seine Mutter waren betucht, doch sie erlaubten sich diesen Luxus und verkauften unter Wert, damit das Erbe des Familienvaters fortgeführt wurde, zumindest für eine Weile. Helgis Mutter lebte immer noch im Norden und erfreute sich guter Gesundheit, arbeitete bei der Stadt. Irgendwie nahm er ihre Existenz als etwas Selbstverständliches wahr, und er besuchte sie nicht oft, während sie zweimal bei ihm in England gewesen war und sich auch regelmäßig in Reykjavík blicken ließ.

Helgi ließ sich Zeit beim Auswählen der nächsten Lektüre, nahm mehrere Bücher in die Hand, eins nach dem anderen. Das Peter-Duluth-Buch hatte er zurück an seinen Platz gestellt, neben ein altes Exemplar von einem seiner Lieblingsautoren, Ellery Queen. Besagter Ellery war das Pseudonym zweier Cousins, Frederic Dannay und Manfred Lee. Am liebsten mochte er die ersten Bände ihrer Serie, klassische amerikanische Kriminalromane, deren Held denselben Namen trug wie das Autorengespann: Ellery Queen.

Helgis Liebe zu diesen Büchern ging so weit, dass er den ersten Band von 1929 in seiner Freizeit ins Isländische übersetzt hatte. Zwei Jahre hatte er dafür gebraucht, aber nie den Mut gefunden, die Übersetzung einem Verleger zu zeigen. Er wusste auch nicht, wie leicht man wohl an die Übersetzungsrechte kam, aber es war sein Traum, dass irgendwann ein richtig guter Ellery Queen auf Isländisch erschien. Die Übersetzung hatte er nach dem Tod seines Vaters begonnen, möglicherweise getrieben von seinem schlechten Gewissen, dass er den Laden nicht weiterführen würde. Die Übersetzung war Helgis Beitrag zur isländischen Krimilandschaft, für die Vater und Sohn gleichermaßen brannten.

Das einzige Ellery-Queen-Buch, das es auf Isländisch gab, *Mord im Penthouse*, zählte definitiv nicht zu den besten Titeln, und war auch sicher nicht von den Cousins geschrieben worden. Die isländische Übersetzung war 1945 in Akureyri erschienen, wahrscheinlich hatte sie deshalb immer einen besonderen Platz in der Krimi-Sammlung eingenommen. Helgi wusste sogar noch, wann und wo er das Buch zum ersten Mal gelesen hatte: als Zwölf- oder Dreizehnjähriger, mitten im Winter an einem schulfreien Tag. Er hatte sich in die hinterste Ecke des Ladens verzogen und war in die Geschichte abgetaucht, hatte sich von der Handlung mitreißen lassen. Obwohl die Story nicht so gut ausging wie andere, nahm Helgi das Buch immer noch gern in die Hand. Dann war er wieder ein kleiner Junge und konnte alle Schwierigkeiten des Alltags für eine Weile hinter sich lassen, sogar die Konflikte mit Bergþóra rückten in den Hintergrund und verblassten, als hätte Helgi nichts damit zu tun.

Dieses Gefühl suchte er jetzt. Wollte die Realität so weit es ging vergessen.

Er nahm *Mord im Penthouse* aus dem Regal, setzte sich in einer Ecke des Wohnzimmers auf den Boden und begann zu lesen.

1983

TINNA

Tinna lag im Bett, in ihrer kleinen Wohnung unweit des Gymnasiums, wo sie seinerzeit das Abitur gemacht hatte. Sie hatte die Wohnung gekauft, weil sie auf eigenen Beinen stehen wollte, obwohl sie sich in ihrem Elternhaus immer wohlgefühlt hatte. Es war nicht weit dorthin, das Einfamilienhaus stand gleich in der nächsten Straße. Dort wartete abends ein warmes Essen, wann immer sie wollte.

Es war drei Uhr in der Nacht. Ein schlechter Traum hatte sie aus dem Schlaf gerissen, nachdem sie vielleicht eine Stunde geschlafen hatte.

Sie hatte mit allen möglichen Leuten über die Leiche gesprochen, erzählte wie selbstverständlich davon, als handelte es sich um eine Szene aus einem Kinofilm und nicht um die Realität. Tat so, als hätte das Ganze ihr nicht zugesetzt, als ginge es ihr nicht nahe. Aber dann kam die Nacht, und alles sah ganz anders aus. Sobald sie die Augen schloss, sah sie Yrsas Leiche vor sich und konnte nicht einschlafen, und wenn es dann endlich gelang, bekam sie meist Albträume. Das unheimliche Gesicht der Toten, das tiefrote Blut auf dem Schreibtisch, das schwarze Telefon, das kleine Radio und der Bleistiftstummel – alles, was sie gesehen hatte, verdichtete sich zu einem schwarz-weißen Albtraum. Dann wachte sie völlig durchgeschwitzt mitten in der Nacht auf, wie jetzt.

Sie wusste, dass sie nicht wieder einschlafen würde. Dass sie übermüdet bei der Arbeit erscheinen würde, mal wieder. So konnte das nicht weitergehen. Und zu allem Übel sah sie dort auch die gesamten Kollegen wieder. Sie fühlte sich unwohl unter diesen Leuten, fühlte sich unwohl auf den Fluren, als drohte dort immer noch Gefahr, und tatsächlich war sie sich sicher, dass dem so war, dass es noch nicht vorbei war. Aus irgendeinem Grund kam ihr Yrsas Tod vor wie der Anfang von etwas, nicht wie das Ende. Vor allem hatte sie Angst vor Broddi. Sie hatte ihn eigentlich immer gern gemocht und mit ihm geplaudert, wenn sie abends allein im selben Trakt waren, hatte Mitleid mit ihm, weil die Tuberkulose seine Familie direkt getroffen hatte, er mit der Geschichte dieser furchtbaren Krankheit verwoben war, gegen die die Mitarbeiter des Sanatoriums so energisch angekämpft hatten. Tinna war zwar zu jung, um diesen Schrecken direkt miterlebt zu haben, aber die Gespenster der Tuberkulose waren an diesem Ort immer noch nicht ganz verschwunden, die Schatten des Weißen Todes, der keinen Unterschied zwischen den Menschen gemacht hatte.

Seit Yrsas Tod fühlte sie sich unwohl in Broddis Nähe. Er übernahm alle möglichen Aufgaben im Sanatorium und war den ganzen Tag vor Ort, daran hatte sich auch nach dem Mord nichts geändert – warum auch. Aber langsam glaubte Tinna selbst an ihre Theorie, glaubte, dass Broddi für den Mord verantwortlich war. Broddi, oder jemand Externes. Aus irgendeinem Grund wollte sie dem Grauen ein Gesicht geben, und die Wahl war auf Broddi gefallen. Sein Blick, den sie immer als freundlich empfunden hatte, kam ihr jetzt kühl vor; sein netter Gruß auf dem Flur gefühllos.

Manchmal dachte sie, dass ihre Sorge irrational und unbegründet sei, aber dann spürte sie die Angst, die in ihr saß, und redete sich ein, dass dieser Mann dringend aus dem Verkehr gezogen und von der Polizei unter die Lupe genommen werden musste. Dann hätten sie die Gewissheit, ob er schuldig oder unschuldig war.

Sie war ihm gegenüber distanzierter als zuvor, doch sie versuchte, ihre Angst zu verbergen. Trotzdem war nichts mehr wie früher, auch der Umgang unter den Kollegen war irgendwie steif und gezwungen.

Die alten Krankenzimmer, voller Erinnerungen an den Tod, hatte Tinna schon immer gemieden, und auch die engen Flure empfand sie als bedrückend und unheimlich.

Doch die Geister der verstorbenen Kranken mussten dieser Tage zurückstecken, weil Yrsas schrecklicher Tod kaum Raum für andere Gedanken ließ.

2012

HELGI

»Helgi, mein Bester, hallo! Hier ist Magnús. Wobei störe ich Sie?«

Die Stimme klang so schleimig, dass sie förmlich aus dem Handy triefte. Helgi und Magnús hatten sich erst einmal gesehen, ansonsten nur telefoniert. Alles lief darauf hinaus, dass Helgi bald in Magnús' Team arbeiten würde. Der Job war spannend und mit Sicherheit das Beste, was ihm hier in Island passieren konnte, aber irgendwie mochte er diesen Magnús nicht. Es war schwer zu sagen, woran es lag. Irgendwie hatte dieser Typ etwas Falsches, Oberflächliches. Aber sein Interesse an Helgi schien immerhin echt zu sein.

»Hallo, ja, kein Problem. Wie geht es Ihnen?«

»Ich wollte nur mal hören, wann Sie bei uns anfangen können. Wir haben großes Interesse an Ihnen, Helgi.«

»Na ja, ich schreibe gerade noch meine Abschlussarbeit. Vielleicht im Sommer, oder zum Herbst«, antwortete er und sah seinen Traum vom Job im Ausland endgültig dahinschwinden.

Wenn er ehrlich war, war ihm schon beim Abbruch der Zelte in England klar gewesen, dass die Rückkehr nach Island ein Fehler war. Mit der Landung auf dem Flughafen in Keflavík hatte sich eine Tür geschlossen, als hätte er die Chance seines Lebens verstreichen lassen.

Und jetzt stand er kurz davor, sich auf unbestimmte Zeit auf diese Insel festzulegen, was ihm irgendwie Bauchschmerzen bereitete. Gleichzeitig wollte er nicht undankbar sein, er war ein gefragter Mitarbeiter und wusste, dass viele gern mit ihm getauscht hätten. Er habe nicht vor, die Stelle auszuschreiben, hatte Magnús gesagt, sie warte auf ihn.

»Je eher, desto besser, mein Lieber. Sie können Ihren Aufsatz natürlich auch hier bei uns zu Ende bringen, parallel zur Arbeit, das wäre überhaupt kein Problem.«

»Ich denke darüber nach.« Der Gedanke, nebenbei schon zu arbeiten, war gar nicht so schlecht, das wäre eine schöne Abwechslung zum Schreiben und vor allem auch eine Chance, aus dem Haus zu kommen und bei Verstand zu bleiben. Auch der Beziehung zu Bergþóra würde das sicher guttun. »Welchen Vorlauf bräuchten Sie denn?«

»Vorlauf? Keinen, wir klären das, sobald Sie anfangen wollen. Eine unserer Mitarbeiterinnen hat das Haltbarkeitsdatum schon längst überschritten, sie hört noch dieses Jahr auf und macht sicher drei Kreuze, wenn sie früher ausscheiden kann. Sie wissen ja, wie die Leute in dem

Alter sind, das Büro komplett zugemüllt und den Kopf voll mit alten Fällen und Geistern aus der Vergangenheit. Es wäre quasi eine gute Tat, sie früher in den Ruhestand zu entlassen.«

»Ja, okay, verstehe. Ich denke darüber nach, versprochen. Wir hören uns einfach bald wieder.«

»Unbedingt, Helgi.«

1983

ELÍSABET

Elísabet war durch Zufall in Akureyri gelandet. Sie war in Reykjavík aufgewachsen und wäre auch dort geblieben, doch dann hatte sie ihren Traumprinzen kennengelernt, und der hatte sie in den Norden geschleppt.

Sie waren immer noch verheiratet, sie und der vermeintliche Traumprinz, aber die Beziehung hatte allen Charme, jegliche Romantik verloren. Der gemeinsame Sohn war das Einzige, was die Ehe noch zusammenhielt. Er war fünf Jahre alt, und Elísabet wollte ihm keine Scheidung antun, sie versuchte durchzuhalten, hoffte, dass auch wieder bessere Zeiten kamen. Dabei war sie sich sicher, dass die Ehe nicht ewig halten würde, sie gab ihr noch zehn Jahre, bis der Junge aus dem Gröbsten raus war. Vielleicht auch fünfzehn Jahre. Es war ja nicht so, dass alles schlecht wäre, sie hatte einen interessanten Job und auch Freunde gefunden, nur ihren Mann liebte sie nicht mehr. Manchmal floh sie für ein paar Tage, besuchte Freunde in anderen Ecken Islands und stellte sich das Leben vor, das sie hätte leben können, wenn sie nicht ihren Mann kennengelernt, sich verliebt und ihn aus einer verrückten Laune heraus geheiratet hätte.

Abends entspannte sie vor dem Fernseher, vor allem auf die Mittwochabende freute sie sich, auf J. R. Ewing und all die anderen aus Dallas. Kürzlich war eine Serie über einen Privatdetektiv namens Marlowe gestartet, die ihr richtig gut gefiel. Manchmal las sie auch Bücher zum Zeitvertreib. Seinerzeit hatten Freunde versucht, sie auf den Geschmack des Skifahrens zu bringen. »Eine Sünde, hier zu wohnen und nicht Ski zu fahren«, sagten sie, und sie hatte es auch versucht, hatte einen oder zwei Kurse gemacht, aber das Skifahren lag ihr nicht, sie war kein Draußentyp. Am wohlsten fühlte sie sich bei der Arbeit.

Sie *hatte* sich dort am wohlsten gefühlt – jetzt war alles anders. Yrsas Tod hatte das ganze Sanatorium auf den Kopf gestellt. Die Kollegen sprachen kaum noch miteinander, sondern liefen schweigend durch die Flure. Und wenn doch mal ein Gespräch zustande kam, ging es nur um Yrsa. Tinna war die Schlimmste, klatschte und tratschte die ganze Zeit. Eigentlich hatte Elísabet das junge Mädchen immer gern gemocht, sie kam ihr talentiert und gewissenhaft vor, aber jetzt wirkte sie geradezu stolz darauf, dass sie Yrsa entdeckt hatte, und genoss die Aufmerksamkeit. Elísabet wusste nicht, wie sie das finden sollte.

Auf jedem Einzelnen von ihnen lag ein Schatten. So durfte das einfach nicht weitergehen.

Sie erhielten nur spärlich Informationen über den Stand der Ermittlungen, aber die Gerüchteküche brodelte. Yrsa war tot in ihrem Büro gefunden worden, das ganz hinten im Gebäude lag, so weit vom Eingang entfernt, dass es so gut wie ausgeschlossen war, dass sie jemanden klopfen gehört und ihn hereingelassen hatte. Es gab nur diesen einen Eingang und keine Klingel, daher kam man außerhalb der Öffnungszeiten nur mit einem Schlüssel hinein. Es sei denn, der Mörder hatte sich zu einem bestimmten Zeitpunkt mit ihr verabredet. Ausgeschlossen war das natürlich nicht, aber auch die Polizei konzentrierte sich im Moment voll und ganz auf die Mitarbeiter, die über einen Schlüssel verfügten – was kein großer Personenkreis war. Sie selbst besaß natürlich einen Schlüssel, und dann noch Oberarzt Friðjón, Assistenzarzt Þorri, Tinna und Broddi.

Elísabet fiel auf, dass die Polizei sich vor allem für Broddi interessierte. Möglicherweise, weil er sich verdächtig verhielt und angespannt wirkte, aber vielleicht kam er ihnen auch einfach nur gelegen. Manchmal dachte sie daran, den jungen Kommissar anzusprechen, diesen Sverrir, oder die Frau, die mit ihm arbeitete, Hulda. Hulda wirkte zugänglicher, netter, aber es war klar, dass Sverrir die Ermittlungen leitete und seiner Kollegin nicht viel Spielraum ließ. Jedenfalls hätte Elísabet ihnen gerne gesagt, dass Broddi kein Mensch war, der einen Mord begehen würde, dafür war er viel zu zurückhaltend und anständig. Doch sie tat es nicht. Unterm Strich passte es auch ihr ganz gut, dass sich die Aufmerksamkeit auf den armen Mann richtete.

Niemand wollte bei Mordermittlungen im Rampenlicht stehen.

1983

TINNA

An diesem Morgen schien die Sonne, und Tinna war entsprechend gut drauf. Bei so schönem Wetter war die Fahrt zur Arbeit deutlich angenehmer, und sie hoffte, dass ihre gute Laune trotz der bedrückten Stimmung im Sanatorium noch eine Weile anhielt. Es drängte, dass die Ermittlungen endlich Erfolge zeigten, damit sich der Alltag wieder normalisieren konnte. Fünf Tage waren seit Yrsas Tod vergangen, und noch deutete nichts darauf hin, dass die Polizei etwas erreicht hätte. Die Ermittler aus Reykjavík waren immer noch vor Ort.

Oberarzt Friðjón hatte keinerlei Anstrengungen unternommen, die Atmosphäre zu verbessern. Am Tag nach dem Leichenfund hatte er eine kurze Mitarbeiterversammlung einberufen, aber da war er selber noch so bedrückt und erschlagen gewesen, dass er seinem Team nicht groß Mut machen konnte. Seitdem hatte er sich kaum auf den Fluren blicken lassen, war die wenigen

Male, als Tinna ihn gesehen hatte, nur ein Schatten seiner selbst gewesen.

Und es gab noch einen weiteren Grund, warum Tinna darauf brannte, dass die Sache endlich aus der Welt war: Sie wollte zur Tat schreiten, was Sverrir anging. Gestern hatte sie herausgefunden, dass er Single war, indem sie Hulda unauffällig ausgefragt hatte.

Sie parkte an derselben Stelle wie immer und lief das letzte Stück zum Sanatorium.

Doch dann stutzte sie. Am Eingang stand Sverrir. Jetzt entdeckte sie auch den Einsatzwagen. Sie beschleunigte ihren Schritt.

»Sverrir«, rief sie. Er hatte die Tür bereits geöffnet und drehte sich zu ihr um. Er lächelte und sah sie einen Moment an, ehe er etwas sagte.

»Hallo, Tinna«, begrüßte er sie ungewohnt herzlich. »Sie kommen immer als Erste, stimmt's?«

Sie nickte.

»Ich wollte mir den Tatort noch einmal genauer ansehen, wir sammeln immer noch Informationen. Ich hatte nicht damit gerechnet, so früh schon jemanden anzutreffen.«

»Ich bin ein Morgenmensch, wache meist in aller Herrgottsfrühe auf und schlafe nicht mehr ein. Dann gehe ich lieber schon zur Arbeit, als dass ich zu Hause allein Kaffee trinke.« Sie betonte das Wort *allein* und fügte verschmitzt hinzu: »Außerdem werden hier Überstunden bezahlt, jeden Monat ein gewisses Kontingent. Da fange ich lieber früh an, als dass ich länger bleibe.«

»Das kenne ich.«

»Hatten Sie schon einen Kaffee?«, fragte sie, als sie hineingingen. Im grün gestrichenen Flur schlug ihnen der strenge Krankenhausgeruch entgegen, an den sie sich einfach nicht gewöhnen konnte. Aber im Laufe des Tages nahm sie ihn irgendwann nicht mehr so stark wahr.

»Nein, noch nicht.« Er drehte sich um und lächelte wieder.

»Ich koche Kaffee, darin bin ich eine wahre Meisterin«, sagte sie und fühlte sich schon fast wie bei einem ersten Date.

»Klingt toll.«

»Sie haben neulich Broddi erwähnt«, sagte Sverrir, als sie in der Kaffeeküche am Tisch saßen. Köstlicher Kaffeeduft stieg aus den dampfend heißen Sanatoriumstassen.

»Ähm, ja, das stimmt«, sagte sie.

»Gab es dafür einen speziellen Grund?«, fragte er unschuldig. Sie war nicht sicher, ob sie sich nur locker unterhielten oder ob das ein offizielles Verhör sein sollte.

»Wie meinen Sie das?«

»Sie fanden es wahrscheinlich, dass er mit Yrsas Tod zu tun hat«, erklärte er, jetzt mit ein wenig ernsterer Stimme.

»Ja. Ja, das fand ich.«

»Warum?«

»Er verhielt sich irgendwie merkwürdig, als er an jenem Morgen zur Arbeit kam.« Broddi war kurz nach Tinna ins Sanatorium gekommen, noch bevor die Polizei eintraf, und hatte sich verdrückt, als Tinna ihm gesagt hatte, was passiert war. Das war schon irgendwie verdächtig, aber auch eine verständliche Reaktion gewesen. Niemand wollte zu Unrecht in den Fokus von Mordermittlungen geraten.

Tinna wollte Sverrir helfen, und seinen Fragen nach zu urteilen stand Broddi unter Verdacht. Einerseits wollte sie, dass die Polizei sie damit in Ruhe ließ, und andererseits gefiel ihr der Gedanke, an der Lösung des Falls beteiligt zu sein und Sverrir zu unterstützen. So eine Zusammenarbeit konnte sie einander näherbringen.

Und deshalb sagte sie, einfach so: »Ich hatte auch den Eindruck, dass Blut an seiner Hose war.« Sie zögerte kein bisschen, theoretisch konnte das ja stimmen, auch wenn sie in Wirklichkeit nichts gesehen hatte. Sie log hin und wieder mal, meist ging es um banale Dinge, aber manchmal auch um Wichtiges, und überzeugte alle mit ihrem Lächeln. So machte sie das, seit sie ein Kind war. Jeder schmückte seine Geschichten gern ein bisschen aus, und so machte auch sie das, aber oft ging sie noch einen Schritt weiter als die anderen. Es war ihr schon immer leichtgefallen, die Wahrheit etwas zu würzen, so lange sie denken konnte, probierte sie sich auf diesem Feld aus. Als Kind war sie manchmal aufgeflogen und hatte Ärger gekriegt, aber mit der Zeit war sie immer geschickter geworden. Das Leben war einfach leichter, wenn man sich die Wahrheit ein wenig zurechtbog.

»Im Ernst?« Endlich hatte sie Sverrirs volle Aufmerksamkeit. »Warum haben Sie das nicht früher gesagt?«

Sie lächelte. »Ich wollte ihn nicht in Schwierigkeiten bringen. Ich mag Broddi. Und es kann auch sein, dass ich mich geirrt habe, so aufgewühlt wie ich war.«

»Das mag sein, aber wir müssen dem nachgehen«, sagte Sverrir entschieden.

»Verstehe.«

Sie dachte, sie würde die Lüge bereuen, das passierte manchmal, aber zu ihrer eigenen Verwunderung regte sich nichts in ihr. Sie blieb vollkommen ruhig. Natürlich konnte diese Sache Broddi in Schwierigkeiten bringen, aber nicht ernsthaft. Das Wichtigste war, dass sie und Sverrir sich jetzt näher waren als je zuvor.

Sie überlegte, ob sie ihn auf einen Kaffee zu sich nach Hause einladen sollte, sie spürte förmlich das Knistern zwischen ihnen, und die Worte lagen ihr schon auf der Zunge, doch im letzten Moment zögerte sie. Das hier war zu wichtig, sie durfte nicht voreilig sein. Es sah nicht so aus, als würde Sverrir bald aus Akureyri abreisen, also hatte sie noch Zeit. Am besten wartete sie, bis der Mord aufgeklärt war. Wie die Polizei vorging und was dabei herauskam, war ihr im Grunde egal.

1983

SVERRIR

Man konnte nicht behaupten, dass Sverrir sich auf das freute, was nun bevorstand; das machte auch ihm keinen Spaß. Auf dem Weg zum alten Tuberkulosesanatorium, im nachmittäglichen Dämmerlicht, überlegte er daher ein weiteres Mal, ob er die richtige Entscheidung getroffen hatte.

Ganz sicher war er sich nicht, aber am Ende lag die Verantwortung bei ihm, er musste den Fall lösen, und dazu musste er in erster Linie auf sein eigenes Urteilsvermögen bauen. Hulda lief schweigend neben ihm. Sie war generell nicht besonders gesprächig, aber dafür hörte sie umso besser zu, erfasste oft schneller als er, wie die Dinge standen. Und sie war vorsichtig, als wäre sie zu oft bei der Arbeit vor die Wand gelaufen. Sie hatten natürlich über diesen nächsten Schritt gesprochen, aber sie war anderer Meinung als er. Ihre Ehrlichkeit rechnete er ihr an. Wobei er sie kaum kannte. Sie arbeiteten bei den Ermittlungen zusammen, aber ansonsten blieb sie für sich, saß in ihrem Zimmer in der Pension oder ging alleine essen. An einer gemeinsamen Mahlzeit oder einem Drink nach der Arbeit hatte sie kein Interesse. Auch er wollte sie nicht unbedingt näher kennenlernen, aber er hatte sie zweimal in den letzten Tagen auf einen Hamburger einladen wollen. Als ihr Chef fühlte er sich irgendwie verpflichtet, auch jenseits der Arbeit Kontakt zu pflegen, damit sie sich hier im Norden nicht ganz so einsam fühlte. Beide Male hatte sie abgelehnt, wollte lieber »eine Kleinigkeit auf dem Zimmer snacken«. Stattdessen versuchte Sverrir nun, die Polizisten vor Ort ein wenig kennenzulernen, zumal es nicht schaden konnte, überall Freunde und Verbündete zu haben. Die Zusammenarbeit mit ihnen lief besser als gedacht, und sie hatten sich als gutes Team erwiesen.

Im Eingangsbereich blieb Sverrir stehen und sah Hulda an: »Hulda, glaubst du immer noch, ich mache einen Fehler?«

Sie zögerte, als wäre der Prozess jetzt eh schon so weit fortgeschritten, dass Einwände zwecklos waren. Doch dann sagte sie: »Ich vermute es, Sverrir. Wir müssten noch länger abwarten, weiterermitteln.«

Er lächelte. Er hatte seine Entscheidung getroffen und war in gewisser Weise froh, dass Huldas warnende Worte ihn unbeeindruckt ließen. Also war es entschieden. Und selbst wenn es danebenging, wäre es natürlich nicht seine Schuld. Nicht er hatte eine Frau verstümmelt und ermordet, die Verantwortung dafür lag allein beim Täter, die

Verantwortung für das Verbrechen und für alles, was danach geschah. Jetzt hoffte er einfach nur, dass sie den richtigen Mann fassten.

Dann fügte Hulda hinzu: »Ich will damit nicht unbedingt sagen, dass er der falsche Mann ist, Sverrir, bitte versteh mich nicht falsch. Aber ich habe das Gefühl, dass wir zu schnell vorgehen.«

Er schätzte Huldas Bemühungen. Wahrscheinlich wusste sie, dass er seine Meinung nicht ändern würde, und lenkte deshalb ein. Sie war blitzgescheit, erfuhr seiner Ansicht nach auf dem Kommissariat nicht die entsprechende Anerkennung, was sich aber nicht auf ihre Arbeitsmoral auswirkte. Diese Frau ließ sich nicht unterkriegen. Auch Sverrir würde sich nicht dafür einsetzen, dass sie Karriere machte. Er hatte nichts davon, wenn er ihr half, sie musste schon für sich selbst sorgen, aber es war gut, sie im Team zu haben und von ihr zu lernen. Nicht nur einmal waren ihr Details aufgefallen, die ihm völlig entgangen waren.

Die erste Person, der sie auf dem Sanatoriumsflur begegneten, war Tinna. Das war mal wieder typisch. Sie hatte ihnen natürlich sehr geholfen, auch wenn ihr das womöglich gar nicht bewusst war. Und sie sah ihn immer so süß an. War ein so hübsches, sympathisches Mädchen. Unter anderen Umständen hätte sich vielleicht etwas zwischen ihnen ergeben, in einem anderen Leben. Im Moment hatte er jedenfalls keinen Kopf für derartige Gedanken.

Hulda kam ihm zuvor: »Hallo, Tinna. Ist Broddi heute da?«

»Ähm, ja, ich habe ihn vorhin gesehen. Er war in der Kaffeeküche. Soll ich …«

Hulda fiel ihr ins Wort: »Nein, nein, wir schauen selbst nach. Wir müssen nur kurz mit ihm reden.«

Sverrir wäre anders vorgegangen, hätte Tinna gegenüber nichts von Broddi gesagt, aber über kurz oder lang würde es sich ohnehin herumsprechen. Er konnte Krankenhäuser nicht ertragen, weder den Geruch noch die Atmosphäre im Allgemeinen. Hoffentlich tat sich bald endlich was und er konnte wieder nach Hause, wo wieder etwas mehr Routine herrschte. Auch das Übernachten an einem fremden Ort strengte ihn an. Hulda und er waren in einer Pension in der Stadt untergebracht, sein Zimmer war zwar sauber, aber ziemlich ungemütlich, die Heizung viel zu schwach, sodass er Nacht für Nacht fror. Das alles trug natürlich dazu bei, dass er den Fall so schnell wie möglich abschließen wollte. Er hatte sich bei der Direktion beschwert und darum gebeten, dass wenigstens er als Ermittlungsleiter in ein Hotel ziehen durfte. Hulda konnte seinetwegen weiter in der Pension bleiben, das war ihm egal, zumal sie sich auch nicht beklagte.

Broddi saß mit düsterem Gesicht in der Küche. Sein Kopf hing so tief, dass er beinahe den Kaffeebecher berührte. Der Duft von frisch gekochtem Kaffee erfüllte den Raum, und Broddi schien Sverrir und Hulda gar nicht wahrzunehmen. Sverrir blieb einen Moment in der Tür stehen, Hulda wartete hinter ihm.

Broddi war kein alter Mann, aber sein Gesicht war von tiefen Furchen durchzogen, und sein Haar wurde schon dünner, falls es früher überhaupt voll gewesen war. Insgesamt machte er keinen glücklichen Eindruck. Wenn jemand unglücklich war, bedeutete das natürlich nicht, dass auch ein kaltblütiger Mörder in ihm steckte, doch Sverrir hoffte, dass diesmal beides zusammenkam. Es wäre nicht gerade zuträglich für die Verfassung dieses Mannes, wenn sie ihn zu Unrecht wegen Mordverdachts verhafteten.

»Hallo, Broddi«, sagte Sverrir mit fester Stimme. Broddi zuckte zusammen. Er blickte auf und sah zuerst Sverrir an, dann Hulda. Fast wirkte es, als wüsste er, was nun kam. Als wäre sein gesamtes Leben eine einzige Pechsträhne gewesen und als könnte ihn nichts mehr überraschen, abgesehen vielleicht von einer positiven Nachricht. Aber eine solche würden sie ihm diesmal nicht überbringen.

»Wir wollten …«, begann Hulda, doch Sverrir fiel ihr ins Wort. Er wollte sich nicht von Hulda das Heft aus der Hand nehmen lassen. Das waren sein Fall und seine Entscheidung. Und wenn es gut lief, würde auch der Sieg seiner sein.

»Entschuldigen Sie, Broddi, aber wir möchten Sie bitten, mit uns auf die Wache zu kommen«, sagte er. Er sah nicht zu Hulda und merkte trotzdem, dass sie beleidigt war.

Broddi blieb regungslos sitzen und trank von seinem Kaffee, doch seine Hand zitterte. »Mitkommen? Warum?«

»Das besprechen wir am besten auf der Wache«, sagte Sverrir und bemühte sich um ein besonnenes, aber bestimmtes Auftreten.

»Wir ... ähm ... wir können doch hier reden.« Broddi sprach so laut, dass Sverrir befürchtete, die anderen könnten etwas mitbekommen. Er wollte die Sache nicht noch schwieriger machen, als sie ohnehin schon war.

Er trat einen Schritt auf Broddi zu.

»Es wäre besser, wenn wir woanders sprechen würden.«

»Nein, ich arbeite hier, ich habe heute einiges zu tun und kann nicht einfach kommen und gehen, wie es mir gefällt. Ich habe mein ganzes Leben hier gearbeitet und möchte auch heute nicht meine Pflichten vernachlässigen.« Jetzt zitterte seine Stimme.

»Das verstehe ich, Broddi. Es ist nur leider so, dass wir Grund zur Annahme haben, dass Sie für Yrsas Tod verantwortlich sind.«

Es war schwierig, Broddis Blick zu deuten. Es lag nicht vorrangig Erstaunen, sondern eher Wut darin, beinahe Hass.

»Ihr ... ihr könnt nicht ... Warum? Warum ich?«

Jetzt erhob auch Sverrir die Stimme: »Wir haben einen begründeten Verdacht. So sieht es aus. Sie haben keine Wahl, Broddi, jetzt kommen Sie mit uns.« Sverrir wollte den Mann nicht in Handschellen abführen, das alles war so schon unangenehm genug. Inzwischen befielen ihn doch leise Zweifel, ob er die Situation richtig eingeschätzt hatte. Aber jetzt konnte er keinen Rückzieher mehr machen, auf gar keinen Fall. Durfte gegenüber dem Tatverdächtigen keine Schwäche zeigen, und auch gegenüber Hulda nicht. Wenn sich das herumsprach ...

»Ich bewege mich keinen Schritt von hier«, entgegnete Broddi mit bebender Stimme. »Immer macht ihr uns fertig, meine Mutter hat nie eine Chance gehabt, alle Männer haben sie betrogen, auch mein Vater, den ich bis heute nicht kenne. Wir hatten nie auch nur eine Krone. Inzwischen ist meine Mutter tot, nur noch ich bin übrig, und ich möchte mir etwas aufbauen, ein geregeltes Leben führen. Und jetzt wollt ihr mich in den Dreck ziehen, mich ins Gefängnis stecken, nur weil ihr mir eins auswischen wollt, hab ich recht?« Es sprudelte nur so aus ihm heraus, bis ihm die Luft ausging.

»Broddi, ich kenne Ihre Vorgeschichte nicht, das tut mir alles sehr leid, aber hier wurde ein schweres Verbrechen begangen, und wir müssen Sie ... wir müssen Sie jetzt mitnehmen, damit Sie uns einige Fragen beantworten.«

»Was für Fragen? Und was ist, wenn ich nein sage? Was macht ihr dann?«

Sverrir dachte kurz nach, zögerte und sagte dann: »Sie wissen, dass wir Sie auch mit Gewalt mitnehmen könnten, aber das möchten wir möglichst vermeiden. Am besten kommen Sie jetzt einfach mit uns auf die Wache, und wir unterhalten uns dort. Wie klingt das?«

Broddi schwieg, aber es sah aus, als hätte er sich etwas beruhigt.

»Ich habe nichts getan«, sagte er schließlich. »Das wisst ihr, oder? Ich habe niemanden getötet.« Auf einmal gab Broddi jegliche Gegenwehr auf, beinahe wirkte er gebrochen.

Sverrir sah Hulda an und nickte. Er hatte den Eindruck, dass sie etwas sagen wollte, doch sie tat es nicht.

»Wir unterhalten uns dort, Broddi.« Er fasste ihn sanft am Arm und half ihm auf die Beine. »Kommen Sie.«

»Ja, ich komme. Wir können uns unterhalten, aber Sie machen da einen Fehler.«

Langsam und mit gesenktem Kopf setzte er sich in Bewegung.

»Aber heute Abend kann ich wieder nach Hause, oder?«, fragte er hoffnungsvoll.

»Wir werden sehen«, sagte Sverrir, der vorhatte, ihn über Nacht in der Zelle zu behalten. Vielleicht gestand er dann. Außerdem wollte er ihn für ein paar Tage in U-Haft nehmen. Jetzt musste er die Sache auch durchziehen. Er hatte auf Broddi gesetzt und wollte möglichst nicht zu dem Ergebnis kommen, dass er falschgelegen hatte.

1983

HULDA

»Wir können ihn nicht länger hierbehalten, Sverrir. Das ist doch offensichtlich, oder?«

Normalerweise hielt sich Hulda gegenüber ihren Vorgesetzten zurück, aber diesmal hatte sie keine andere Wahl. Sie hatten absolut nichts gegen Broddi in der Hand.

»Die Untersuchungshaft wurde abgesegnet, wir haben noch einige Tage Zeit«, sagte er, aber in seiner Stimme lag ein Zögern.

»Und was, wenn er unschuldig ist? Wollen wir alle Kraft darauf verwenden, jemandem einen Mord anzuhängen, der nichts getan hat, außer dass er am Rande der Gesellschaft steht? Du weißt genauso gut wie ich, Sverrir, dass die U-Haft zu einem gewissen Teil darauf basiert, dass er leicht angreifbar ist.«

Sverrir nickte.

»Das mag sein, aber das heißt nicht, dass er unschuldig ist.«

Vielleicht steigerte sie sich da auch zu sehr hinein. Sie fühlte sich einsam hier im Norden und war daher nicht in bester Form. Vermisste Jón und Dimma. Die Zeit verging so schnell, nächstes Jahr würde Dimma schon zehn. Bei Jón lief es gut, sie planten gerade eine Reise ins Ausland. Aber jetzt hörten sie sich nur einmal am Tag. Und am Tag vor ihrer Abreise war sie mit ihrer Mutter aneinandergeraten, nachdem sie das Gespräch auf ihren Vater gelenkt hatte. Den amerikanischen Soldaten, von dem sie kaum etwas wusste und dem ganz sicher nicht klar war, dass er eine Tochter in Island hatte. Wie immer hatte Huldas Mutter jegliches Gespräch darüber verweigert, und sie war auch nicht bereit, ihn ausfindig zu machen. Hulda fühlte ein Vakuum in ihrer Seele, wenn sie an ihren Vater dachte, sie würde ihn so gern einmal treffen, ihn kennenlernen. Natürlich konnte sie versuchen, ihn auf eigene Faust ausfindig zu machen, aber sie brachte es nicht über sich, den Willen ihrer Mutter dermaßen zu übergehen. Vielleicht musste sie damit warten, bis ihre Mutter gestorben war.

»Es belastet ihn sehr, Sverrir, das ist doch ganz offensichtlich«, sagte sie in etwas milderem Ton. Sie hatte Broddi zweimal während der U-Haft gesehen, schon nach der ersten Nacht ging es ihm schlecht. Sie machte sich ernsthafte Sorgen um den Mann.

»Ja, ich weiß, aber ich kann es nicht ändern. So etwas ist natürlich für niemanden schön.«

Nach einer Weile fügte er hinzu: »Du weißt genauso gut wie ich, dass wir unter großem Druck stehen, diesen Fall zu lösen. So einen furchtbaren Mord verkraften die Leute nicht gut. Du kannst dir vorstellen, wie die Bewohner der Stadt sich fühlen, solange der Mörder auf freiem Fuß ist.«

»Ja, aber dieses Problem lösen wir nicht, indem wir den falschen Mann gefangen halten«, sagte sie und ließ das so stehen. Die Entscheidung lag bei Sverrir.

1983

TINNA

Es ging auf elf Uhr zu, als das Telefon klingelte. Tinna saß vor dem Fernseher und döste gerade weg, als das Klingeln sie zurück in die Realität holte. Sie bekam nicht oft Anrufe zu dieser Uhrzeit, selbst ihre Eltern riefen nach dem Abendessen nicht mehr an. Sie stand auf und ging zum Telefon im Flur.

»Tinna?«

Sie erkannte sofort Sverrirs Stimme. Was um alles in der Welt wollte er von ihr? Wollte er ihr etwa Avancen machen? Obwohl die Ermittlungen noch nicht abgeschlossen waren? Und sie selbst ja theoretisch auch noch unter Verdacht stand …?

»Hier ist Sverrir, von der Polizei.«

»Ja, ich weiß.«

»Entschuldigen Sie, dass ich so spät anrufe.«

»Nein, kein Problem. Ich bin noch hellwach.«

»Gut. Ich wollte eine Kleinigkeit mit Ihnen besprechen.«

Ihr Herz klopfte schneller.

»Es geht um Broddi«, sagte er. Jetzt verstand sie gar nichts mehr. »Sie sagten, Sie haben einen Blutfleck an seiner Hose gesehen.«

Tinna wurde von ihrem schlechten Gewissen übermannt. Verdammt, sie hätte nicht lügen sollen.

»Ja, doch, ich glaube schon«, sagte sie. »Ich meine, ich habe Blut gesehen.«

»Sind Sie sicher?«

Sie zögerte.

»Ganz sicher nicht, aber ich hatte den Eindruck.«

»Wir haben nichts finden können, was das belegt. Leider. Er sitzt immer noch in Untersuchungshaft.«

»Verstehe. Möglicherweise habe ich mich geirrt.«

Darauf folgte Schweigen in der Leitung.

»Unter uns gesagt, Tinna, muss ich entscheiden, wie die nächsten Schritte aussehen, ob ich ihn noch länger hierbehalte oder es gut sein lasse. Ich hatte gehofft, Sie könnten noch Näheres dazu sagen.«

»Nein, oder … nein, leider nicht. Ich hoffe, ich habe Sie nicht in Schwierigkeiten gebracht.«

»Keine Sorge. Wir alle machen Fehler. Ich denke, ich lasse ihn heute Abend frei.«

»Stehen Sie dann wieder ganz am Anfang?«

»Bitte? Nein, nein, überhaupt nicht. Details kann ich Ihnen aber leider immer noch keine nennen«, sagte er recht überzeugend, doch irgendetwas an seiner Stimme gab ihr das Gefühl, dass er übertrieb.

Wieder Schweigen.

»Also, entschuldigen Sie noch mal die Störung, Tinna. Sie melden sich, wenn etwas ist, falls Ihnen noch irgendetwas einfällt.«

Broddi war schon bei der Arbeit, als Tinna am nächsten Morgen das Sanatorium betrat. Sie war zur selben Zeit wie immer vor Ort, aber er war ungewöhnlich früh da. Wahrscheinlich war er froh über die zurückgewonnene Freiheit. Als sie kam und die Tür unverschlossen vorfand, befiel sie ein ungutes Gefühl, und sie befürchtete schon, dass die Ereignisse sich wiederholten, doch im selben Moment rief er aus der Kaffeeküche zu ihr herunter.

»Bist du es, Tinna?«

Sie erkannte seine Stimme sofort und verspürte einen kleinen Stich, nicht aus Angst, sondern wegen ihres schlechten Gewissens. In gewisser Weise war sie dafür verantwortlich, dass der arme Mann in einer Zelle gehockt hatte. Andererseits war er ja wirklich der wahrscheinlichste Täter, den Sverrir früher oder später ohnehin unter die Lupe genommen hätte. Möglicherweise war er tatsächlich der Mörder, auch wenn man ihn jetzt entlassen hatte. So ein Mist, dass der Fall noch nicht gelöst war.

»Ja, ich bin es.« Sie hängte ihren Mantel an den Haken und ging zu ihm. Er saß mit einem Kaffeebecher am Tisch, als wäre nichts geschehen.

»Schön, dich wiederzusehen, Broddi«, sagte sie freundlich, obwohl sie eigentlich etwas anderes dachte.

»Ja … ja, danke. Da ist denen wohl ein Fehler unter-
laufen.«

»Das kann jedem passieren.«

»Ja.« Er lächelte. »Schön, wieder hier zu sein.«

1983

TINNA

Wieder einmal hatte Tinna schlecht geschlafen. Schreckte aus dem Schlaf, weil sie dachte, sie wäre in Yrsas Büro, bei der Leiche. Sie hörte im Traum die Regentropfen jenes schicksalsträchtigen Morgens, sah die abgetrennten Finger, und das Blut tropfte im Takt mit dem Regen vom Schreibtisch auf den Boden. Den Regen hörte sie noch, als sie schon längst aufgewacht war, und da merkte sie, dass das Geräusch echt war: Draußen goss es wie aus Eimern.

Sie setzte sich auf und machte Licht. Es war Viertel nach fünf, genau wie in den letzten Tagen. Sie war allein in ihrer kleinen Wohnung, allein mit ihren Albträumen, und wieder einmal war sie in aller Herrgottsfrühe wach und tat so, als wenn nichts wäre, kochte erst einmal Kaffee, um richtig wach zu werden. In letzter Zeit ging sie abends früher schlafen, denn sie rechnete schon damit, dass sie früh aufwachte. Langsam entwickelte sich das zu einem Teufelskreis, sie traf auch schon keine Freunde mehr am Abend.

Wenigstens hatte sie die Hoffnung, dass es sich wieder einpendelte, wenn der Fall gelöst war und wieder Ruhe im Sanatorium einkehrte.

Tinna machte das Licht aus, kroch noch einmal unter die Decke, sah aus dem Fenster in die Dunkelheit und lauschte dem Regen. Stellte sich vor, dass sie irgendwo anders war, irgendwo, wo sie sich besser fühlte.

Eine halbe Stunde später war sie bereit für den Tag, in ihrem gelben Mantel. Dieser Mantel war untrennbar mit dem Leichenfund verbunden, doch Tinna brachte es nicht über sich, ihn wegzuwerfen, zumal sie sich das bei einem tadellosen Mantel auch nicht leisten konnte. Inzwischen hatte es aufgeklart, als wollte der Tag sie trotz allem freundlich empfangen. Vielleicht durfte sie hoffen, dass es ein erträglicher Tag würde; nicht unbedingt gut, aber immerhin erträglich. Mehr verlangte sie im Moment ja gar nicht.

Sie trat ins Morgendunkel, das sie eher als Schutz denn als Bedrohung empfand. Das Auto stand ganz in der Nähe, sie atmete tief die kühle Luft ein und genoss es, die Stadt für sich zu haben.

Sie hatte es nicht eilig, so früh am Morgen rechnete niemand mit ihr, aber so konnte sie wieder ein paar Überstunden sammeln.

Als sie sich dem Sanatorium näherte, überkam sie plötzlich ein ungutes Gefühl, und sie ahnte, dass dieser Tag doch ein schlimmer werden würde, deutlich schlimmer noch, als sie es sich vorstellen konnte, ahnte, dass irgendetwas passieren würde. Dieses Gefühl wurde so mächtig, dass sie beinahe kehrtmachte, doch sie riss sich zusammen. Sie parkte ihren alten blauen Mazda am selben Platz wie immer und lief das letzte Stück zum Sanatorium. Es war Wind aufgekommen, die Kälte schnitt ihr in die Haut, und es war immer noch stockfinster.

Sie sprach sich Mut zu.

Wie schlimm sollte es denn noch werden?

1983

TINNA

»Sind Sie sicher, dass alles in Ordnung ist, Tinna?«, fragte Sverrir. Seine Stimme klang warm und freundlich, fand sie, zumindest an der Oberfläche. Keinerlei Misstrauen, noch nicht. »Dass ein Mensch so etwas zweimal erleben muss, zwei Leichen innerhalb von wenigen Tagen.«

Sie nickte nur.

»Ganz sicher? Wir können auch noch warten. Jemanden finden, der mit Ihnen spricht, einen … Psychologen. Einen Psychologen, Arzt oder dergleichen?« Jetzt wirkte er unsicher, vielleicht – hoffentlich –, weil auch er etwas für sie empfand.

»Na schön, dann fangen wir an.« Sie standen in der Kaffeeküche im Sanatorium. An diesem Morgen hatte niemand Kaffee gekocht, sie zehrte immer noch von der Tasse, die sie zu Hause getrunken hatte, dabei wäre ein heißer schwarzer Kaffee jetzt genau das Richtige gewesen, aber sie wollte nicht darum bitten.

»Okay.«

»Beschreiben Sie mir noch einmal für das offizielle Protokoll, was heute früh passiert ist. Erzählen Sie es mir mit Ihren eigenen Worten.«

Tinna holte tief Luft.

»Ich habe es gleich gesehen, als ich heute früh kam. Das … ich meine natürlich er … Ich habe ihn gleich gesehen, als ich vor dem Sanatorium stand …«

»Bitte beschreiben Sie genauer, was Sie gesehen haben, Tinna.«

»Friðjón lag da … auf der Wiese vor dem Sanatorium, regungslos, ich sah sofort, dass er tot ist, oder, ähm, ich bin davon ausgegangen.«

»Haben Sie genauer nachgesehen?«

»Ja, natürlich, ich habe nachgesehen, ganz automatisch. Da war kein Puls, ein furchtbarer Anblick. Das war natürlich ein …« Sie machte eine kurze Pause, dann sprach sie weiter: »Das war natürlich ein tiefer Sturz, wahrscheinlich vom Balkon da oben.«

Sverrir nickte. Sie wartete auf eine Frage, die aber nicht kam. »Er muss vom Balkon gesprungen sein, etwas anderes kann ich mir nicht vorstellen, jedenfalls ist er einige Stockwerke tief gestürzt. Aufs Dach ist er wohl kaum geklettert.«

Wieder nickte Sverrir nur.

»Es ist so traurig, dass er diesen Weg gewählt hat und nicht zu euch gegangen ist und es gestanden hat«, sagte Tinna.

»Ja, gestanden, sagen Sie …«

»Jetzt ist es doch offensichtlich, dass Friðjón Yrsa getötet hat, oder? Das wird sein Geständnis gewesen sein, auf seine Art. Sie kannten sich seit Jahrzehnten, es wird irgendeine Geschichte zwischen den beiden gegeben haben, von der wir anderen nichts wussten, eine Tragödie ...«

»Etwas, weshalb er seine Mitarbeiterin tötet und sich kurz darauf selbst das Leben nimmt?« Sverrirs Stimme klang ganz sachlich, daher konnte Tinna nicht einschätzen, ob er ihr zustimmte oder sich über sie lustig machte.

»Ja, genau«, sagte sie und fügte hinzu: »Oder nicht?«

»Genau das ist die Frage, Tinna. Ich weiß es noch nicht, aber es ließe sich durchaus so interpretieren.«

»Hat er ... also, hat er eine Nachricht hinterlassen?«

Sverrir zögerte.

»Das wird sich noch zeigen«, antwortete er dann, und ihr war sofort klar, dass dem nicht so war. Trotzdem war das ein gutes Ende: Der Mörder stürzt sich vom Balkon, von seinem schlechten Gewissen überwältigt. Dadurch war Gerechtigkeit hergestellt und der Fall gelöst. Keine weiteren Ermittlungen – der unangenehme Nebel, der über dem Sanatorium lag, würde sich lichten, Tinna und ihre Kollegen standen nicht mehr unter Verdacht.

»Und dann sind Sie reingegangen und haben die Polizei gerufen?«, hörte sie ihn sagen, wahrscheinlich schon zum zweiten Mal, sie war ganz in ihre Gedanken vertieft gewesen. Sie schaute auf und lächelte ihn an.

Ja, es war wirklich das Beste für alle Beteiligten, dass die ganze Sache durch dieses Ereignis jetzt abgeschlossen war, dachte sie im Stillen. Zwei schreckliche Todesfälle, wobei der zweite den ersten auf Null setzte, auch wenn es vielleicht geschmacklos war, so zu denken.

»Ja, ich bin sofort reingegangen«, antwortete sie.

»Ist Ihnen auf dem Weg irgendetwas aufgefallen? Oder drinnen? War jemand dort?«, fragte er, und sie wusste, dass ihre Antwort wichtig war.

Daher antwortete sie sofort und ganz klar: »Nein, außer mir war niemand hier. Wer sollte zu dieser Uhrzeit auch hier sein?«

Auf einmal fühlte sie sich von den alten Wänden bedrängt, als wäre die grün gestreifte Tapete in der Kaffeeküche plötzlich greller als sonst. Es schauderte sie, während sie auf Sverrirs Reaktion wartete, die ungewöhnlich spät kam, aber vielleicht bildete sie sich das auch nur ein.

»Ah ja. Sie waren also ganz allein im Gebäude?«

»Bitte? Ja, ich war allein.«

»Hat Friðjón irgendetwas gesagt, etwas angedeutet, was darauf schließen lässt, dass er Yrsa ermordet hat?«, fragte Sverrir als Nächstes.

Tinna schüttelte den Kopf, ihr fiel nichts ein.

Wieder beschleunigte sich ihr Herzschlag, sie fühlte sich nicht gut, wollte raus aus diesem Raum, am liebsten nach Hause, unter ihre warme, gestreifte Bettdecke. Sie wollte sich hinlegen, die Augen schließen und so tun, als wäre die Welt einfach und gut.

»Wie kamen Sie miteinander aus?« Sie erschrak. Sverrirs Stimme klang beinahe wie aus dem Jenseits.

»Bitte? Wie meinen Sie das …?«

»Entschuldigen Sie, Tinna, sollen wir eine kurze Pause machen?«

»Nein, nein. Dauert es denn noch lange?«

»Nein. Also gut, dann bringen wir es zu Ende. Wie kamen Sie miteinander aus?«

»Friðjón und ich?«

Er nickte, und sie dachte nach.

»Da gibt es nicht viel zu sagen. Friðjón war mein Chef, obwohl ich im Alltag Yrsa unterstellt war. Sie hat mich eingestellt und mir gesagt, was ich tun soll. Er hat sich nicht groß um mich gekümmert, im Grunde hat er sich um niemanden gekümmert. Ich glaube, er hat sich generell nicht so für seine Mitmenschen interessiert. Ich fand ihn immer recht distanziert, ja, vielleicht sogar kalt. Als wäre ich ihm völlig gleichgültig, oder als wäre ihm das Leben gleichgültig.«

Eigentlich hatte sie nicht ganz so starke Worte wählen wollen, aber jetzt war es auch egal.

»Angenommen, er ist …'wirklich gesprungen – würde Sie das überraschen?«

Sie tat so, als müsste sie nachdenken, denn die Antwort war klar.

»Nein, ich denke nicht. Er wirkte nie richtig glücklich.«

Sverrir nickte.

»Friðjón war unverheiratet, oder?«, fragte er dann.

»Ja, unverheiratet und kinderlos. Er war kein Familienmensch, genau wie Yrsa.«

»Na schön, belassen wir es fürs Erste dabei, Tinna. Wir sprechen später noch einmal. Jetzt sollten Sie nach Hause fahren und sich ausruhen.«

»Ja, ich denke, das ist eine gute Idee.«

Sie stand auf und lächelte ihn an.

Sie trug immer noch ihren Mantel und fühlte sich, als wäre sie an diesem Morgen gar nicht losgefahren, als stünde sie immer noch an der Wohnungstür und als wäre alles, was danach passiert war, nur ein Traum gewesen. Als sie das Sanatorium verließ und hinaus in den Morgen trat, der immer noch düster und verhangen war, dachte sie, wie leicht es doch gewesen war, die Unwahrheit zu sagen. Eigentlich zu leicht. Sie hatte nichts von den Geräuschen gesagt, die sie gehört hatte, als sie die Polizei anrief. Jemand hatte sich aus dem Gebäude geschlichen, aber sie hatte nicht gesehen, wer es gewesen war. Kurz darauf hatte sie das Gefühl, dass ein Motor gestartet wurde. Bei ihrer Ankunft hatte sie außer Friðjóns Wagen kein weiteres Fahrzeug gesehen. Aber es gab in der Umgebung des Sanatoriums unzählige Stellen, wo man unauffällig parken konnte. Wenn jemand extra gekommen war, um Friðjón umzubringen, hatte er wahrscheinlich irgendwo außer Sichtweite geparkt.

Aber das alles verdrängte sie, sie würde nichts sagen, denn jetzt war der Fall gelöst, und sie konnte sich endlich um ein Treffen mit Sverrir kümmern, unter anderen, besseren Umständen.

2012

HELGI

Elísabet hatte sich zu einem Treffen in einem Café im Zentrum von Reykjavík bereiterklärt, in dem mitten am Tag wenig los war. Helgi wusste nicht, wie Elísabet aktuell aussah, er hatte nur ein altes Foto in der Polizeiakte gefunden: dunkler Pferdeschwanz, Brille, distanzierter Blick. Irgendwie guckte sie, als ob sie es im Leben schwer gehabt hätte. Wobei es natürlich sein konnte, dass die Aufnahme einfach nur an einem aufreibenden Tag entstanden war. Und dann sah er sie, dreißig Jahre älter, an einem Tisch in einer Ecke des Cafés. Sie hatte sich kaum verändert.

Er hielt einen Moment inne und sah sie an, wartete auf Blickkontakt. Als sie aufsah, lächelte er und ging auf sie zu.

»Hallo. Ich bin Helgi. Elísabet?«

»Ja, das bin ich«, sagte sie zögernd. Auf dem Tisch stand eine halbleere Kaffeetasse.

»Darf ich Ihnen einen neuen Kaffee bestellen?«

Sie schüttelte den Kopf.

»Nein, ich habe nicht allzu viel Zeit«, sagte sie, was ihrem Blick nach zu urteilen nicht ganz der Wahrheit entsprach.

Er setzte sich.

Am Telefon hatte er ihr erklärt, dass er seine Abschlussarbeit über die polizeilichen Ermittlungen zu den Todesfällen im alten Tuberkulosesanatorium schrieb. In dieser Hinsicht hatte er seine Taktik geändert, sagte nicht mehr, dass er allgemein über die damaligen Ereignisse schrieb, weil er glaubte, dass die Leute offener waren, wenn sie glaubten, die Polizei stünde im Fokus seiner Arbeit. Die Wahrheit lag irgendwo dazwischen.

Und so sagte Elísabet auch gleich: »Zu den Ermittlungen kann ich im Grunde nichts sagen, zumal das jetzt auch dreißig Jahre her ist. Da vergisst man einiges.« Sie blickte ernst, als hätte sie keine Lust, darüber zu reden. »Ich muss zugeben, ich hätte beinahe nein gesagt, aber ich wollte nicht unhöflich sein.«

»Danke, ich bemühe mich, Sie nicht lange aufzuhalten.«

»Schon in Ordnung«, antwortete sie ein wenig freundlicher.

»Sie sind also nach Reykjavík gezogen?«, fragte er, um das Eis zu brechen, obwohl die Antwort auf der Hand lag. Immerhin hatte er sie im Telefonbuch gefunden. Sie wohnte in einem neueren Mehrfamilienhaus in der Sóltún.

Doch aus irgendeinem Grund schien die Frage sie aus dem Konzept zu bringen.

»Ja«, sagte sie schließlich. Es dauerte eine Weile, bis Elísabet weitersprach, aber Helgi hatte das Gefühl, dass sie noch etwas hinzufügen wollte. »Ja, ich habe es in die Tat umgesetzt. Letztes Jahr. Habe das Einfamilienhaus im Norden gegen eine kleine Wohnung in Reykjavík getauscht. Ein bisschen Geld ist noch übrig geblieben, von dem ich reisen möchte.«

Schon wieder das leidige Thema Wohnungskauf in Reykjavík. Er atmete tief ein und versuchte, an etwas anderes zu denken. Das verschaffte Elísabet die Gelegenheit, weiterzusprechen. »Mein Mann ist letztes Jahr gestorben, da dachte ich mir: jetzt oder nie.«

»Das tut mir leid«, sagte Helgi, doch seine Beileidsbekundung hatte keine große Wirkung auf Elísabet. Ihre Erzählung klang so durch und durch lethargisch, dass der Tod ihres Ehemanns mehr wie eine Randbemerkung wirkte.

»Eigentlich ist mir die Entscheidung leichtgefallen«, sagte sie, ohne auf Helgis Worte zu reagieren. »Ich musste in eine neue Umgebung, da waren einfach zu viele Erinnerungen an meinen Mann und unsere Ehe.«

»Verstehe«, sagte Helgi langsam. »Und arbeiten Sie jetzt hier?«

»Nein, ich konnte in den Ruhestand gehen. Aber ich glaube, das war ein Fehler. Man sollte so lange arbeiten, wie die Kraft es zulässt. Es tut so gut, unter Menschen zu sein.«

Helgi wusste nicht, was er dazu sagen sollte. »Ja, das stimmt wohl«, sagte er schließlich.

Irgendwie wirkte Elísabet grundlegend unzufrieden mit ihrem Leben.

»Entschuldigen Sie den kleinen Schlenker«, sagte sie plötzlich. »Erzählen Sie mir von Ihrem Aufsatz. Sie untersuchen also die Arbeitsweisen der Polizei?«

»So könnte man es sagen.«

»Ist denn etwas schiefgelaufen?«

»Nein, nein, ich denke nicht, überhaupt nicht. Die Idee ist, dass ich den Fall durch die Brille der Kriminologie analysiere, mit den Methoden, die wir im Studium gelernt haben.«

»Aha.« Sie nickte und wirkte beinahe ein wenig interessiert. Vielleicht wollte sie aber auch einfach nur mal über etwas anderes als ihre Einsamkeit reden, in der sie gefangen schien.

»Erinnern Sie sich noch gut an die damaligen Ereignisse?«

»Wie sollte es anders sein? Das hat damals alles auf den Kopf gestellt, nicht nur im Sanatorium, sondern in der ganzen Stadt. Danach habe ich mich dort nie wieder wohlgefühlt.«

»Haben Sie dann dort aufgehört? Irgendwo anders gearbeitet?«

»Nein, ich wollte durchhalten. Das Sanatorium wandelte sich laufend. Das Gebäude sollte bestmöglich genutzt werden, daher war die Arbeit sehr vielseitig. Aber ich war weiß Gott froh, als ich das letzte Mal durch die Flure lief.« Sie seufzte. »Dort herrschte kein guter Geist. Schon zur Zeit der Tuberkulose waren dort so furchtbar viele Menschen gestorben, dass es eigentlich hätte reichen müssen. Und dann das noch. Ich habe Yrsas Leiche nie gesehen, aber ich habe natürlich die Schilderungen gehört. Tinna hat damals viel darüber geredet.«

Ihre letzte Bemerkung klang spitz.

»Wie war es, mit ihr zusammenzuarbeiten?«

»Sie war in Ordnung. Ehrgeizig, fleißig, war immer als Erste da, aber sie hatte nie vor, ewig am alten Sanatorium zu bleiben. War nie richtig zufrieden mit uns, wollte an ein größeres Krankenhaus. Das hat sie ganz unverhohlen gesagt. Kurz nachdem die Sache aufgeklärt war, verschwand sie und … und …« Sie beendete ihren Satz nicht. »Vielleicht sollte ich besser den Mund halten …«

Er überlegte, was sie wohl hatte sagen wollen, doch er traute sich nicht, nachzufragen.

»Und waren Sie erstaunt?«, fragte Helgi.

»Erstaunt?«

»Dass Friðjón Yrsa ermordet haben sollte? Hat Sie das überrascht?«

Elísabet guckte nachdenklich.

»Darüber habe ich nie nachgedacht, nicht wirklich. So war es einfach. Es muss etwas zwischen den beiden gewesen sein, von dem wir anderen nichts wussten. Das war einfach eine Tragödie, es hat keinen Zweck, sich darüber den Kopf zu zerbrechen.«

Diese Antwort überraschte Helgi. Elísabet schien keinen Zweifel an Friðjóns Schuld zu haben und die ganze Sache recht gleichmütig zu betrachten.

Dann fügte sie hinzu: »Natürlich hätte man das im Vorfeld nie geglaubt, aber nachdem Yrsa tot war, lag es ja auf der Hand, dass einer von uns es gewesen sein musste. Das war ... ja ...« Sie dachte nach. »Das war eine persönliche Tat, wenn Sie verstehen, was ich meine. Der Mörder kannte sie, daher war ich froh, als Friðjón es beendet hat. Uns andere aus der Schlinge befreit hat.«

»Können Sie sich vorstellen, was ihn zu dieser furchtbaren Tat getrieben hat?«

»Nein, ich habe keine Ahnung. Aber das war ja auch nicht meine Aufgabe. Die Polizei hat sich doch sicher einen Reim darauf gemacht, oder?«

Sieht nicht so aus, dachte Helgi im Stillen. Dann sagte er laut: »Wie hat die Polizei sich denn generell geschlagen?«

»Das kann ich nicht beurteilen. Ganz gut, denke ich. Der Mann, der die Ermittlungen leitete, war ziemlich klar und direkt, ein junger Mann in meinem Alter. Ich glaube, er hat keinen Fehler gemacht. Als er mit mir sprach, war er sehr freundlich.«

»Er hat Broddi verhaftet.«

»Mit Broddi kam ich nie gut zurecht. Es war schon in Ordnung, dass er verhaftet wurde.«

»Aber war die Verhaftung kein Fehler, im Lichte dessen, wie sich die Sache entwickelt hat?«

»Tja, ich weiß es nicht. Manchmal gelangt man eben über Umwege zur Wahrheit. Und es ist ja auch nicht so, dass er jahrelang gesessen hätte. Nach wenigen Tagen war er wieder frei. Eine ziemlich unangenehme Person, mit so negativer Ausstrahlung. Manchmal …« Sie wirkte hin- und hergerissen, wie sie den Satz beenden sollte.

Im Stillen tat Helgi es für sie: *Manchmal kann man die Menschen eben doch nach ihrem Aussehen beurteilen.* Das war es doch, was sie sagen wollte.

Er mochte diese Frau nicht besonders.

»Kamen Sie denn gut mit Þorri zurecht, nachdem er Friðjóns Posten übernommen hatte?«

Das Schweigen war unangenehm, beinahe zum Anfassen greifbar.

»Wir haben nicht gut zusammengearbeitet«, sagte sie schließlich.

»Gab es einen speziellen Grund dafür?« Helgi hatte das Gefühl, sich auf Glatteis zu begeben. Doch Elísabet ließ sich nicht aus der Ruhe bringen.

Nach kurzem Zögern antwortete sie: »Er war einfach kein guter Chef. Ich war froh, als er ans Krankenhaus Akureyri gewechselt ist. Soweit ich weiß, hat er dort eine konventionellere Stelle übernommen. Mit ihm war es dasselbe wie mit Tinna, das Sanatorium war ihnen nie gut genug.« Sie schnaubte.

Elísabet war die Einzige unter den damaligen Kollegen, die bis zuletzt am alten Tuberkulosesanatorium durchgehalten hatte. Tinna war nach Reykjavík gegangen und hatte dort als Krankenschwester gearbeitet. Þorri war an ein größeres Krankenhaus im Norden gewechselt und führte nebenbei noch eine kleine Praxis in Reykjavík. Und Broddi hatte einige Zeit nach den Todesfällen zu arbeiten aufgehört und war später nach Reykjavík gegangen. Möglicherweise war das alte Tuberkulosesanatorium einfach kein guter Arbeitsplatz gewesen, doch wahrscheinlicher fand Helgi, dass die beiden entsetzlichen Todesfälle daran schuld waren. Selbst der beste Arbeitsplatz hielt einer solchen Belastung nicht stand.

Eine andere Frage war, warum Elísabet sich nichts anderes gesucht hatte. War sie nur aus alter Gewohnheit geblieben oder hatte sie nichts Besseres gefunden? Oder hatte etwas anderes sie dort gehalten?

»Haben Sie noch Kontakt zu den alten Kollegen?«

»Zu den alten Kollegen?«, wiederholte Elísabet, obwohl ganz klar war, wen er meinte.

»Zu den anderen damaligen Angestellten, zu Tinna, Broddi, Þorri …«

»Wie kommen Sie darauf?«, fragte sie barsch zurück. »Ich mochte diese Leute nicht, nicht wirklich, und hatte später keinerlei Berührungspunkte mehr mit ihnen. Dem einen oder anderen ist man natürlich mal begegnet, Broddi und Þorri wohnten ja in Akureyri, und Tinna und ich waren in derselben Branche. Aber es interessiert mich nicht, wie es ihnen ergangen ist. Ich denke, das beruht auf Gegenseitigkeit.«

»Na schön, ich will Sie nicht länger aufhalten«, sagte

Helgi. Fürs Erste hatte er keine Fragen mehr an Elísabet. Und er fühlte sich in ihrer Gegenwart auch nicht besonders wohl. »Der Kaffee ist schon lange ausgetrunken, und Sie haben zu tun, nicht wahr?« Er bemühte sich, nicht spöttisch zu klingen.

Elísabet stand auf. »Ja, die Zeit vergeht, nicht? Ich muss los, aber es war nett, mit Ihnen zu reden, Helgi. Sich an die alten Zeiten zu erinnern.« Sie klang nicht sehr überzeugend. »Melden Sie sich ruhig, wenn Ihnen noch etwas einfällt.«

1951

ÁSTA

Endlich schien die Sonne über dem Eyjafjörður, das machte solch einen Unterschied, fand Ásta. Die Tage im Sanatorium waren einer wie der andere, und bei tristem, grauem Wetter war es besonders schlimm, wenn der Tod durch die Flure zog. Der Gebirgszug Vaðlaheiði erhob sich jenseits des Fjordes, gebadet im grellen Frühlingslicht. Sie hatte schon immer ein wärmeres Klima gemocht und hätte gern ihre Rente in einem Land im Süden verbracht, doch das ließ ihre finanzielle Situation nicht zu. Sie und ihr Mann waren keine reichen Leute, und das Rentenalter war nichts, worauf sie sich freuen konnten. Nein, Reisen ins Ausland – oder gar längere Auslandsaufenthalte – waren ein Luxus, von dem sie nur träumen konnte. Ihr Schicksal in der isländischen Realität war besiegelt.

Ihre größte Freude waren da noch die Reisen mit ihrem Mann nach Reykjavík. Das kam nicht oft vor, aber wenn, dann legte sich der Gute richtig ins Zeug. Besonders gern dachte sie an eine Reise im Vorjahr, bei der ihr Mann zwei Karten für ein Konzert des frisch gegründeten Symphonieorchesters ergattert hatte. Das war wirklich ein unvergesslicher Abend gewesen.

Aber immerhin schien jetzt die Sonne, dann ging es ihr gut. Sie stand im Sonnenlicht an der Sanatoriumsmauer, windgeschützt, und sah den Kindern beim Spielen zu. Endlich konnte der neue Junge auch mal draußen mit seinen Altersgenossen spielen. Das war allein ihr zu verdanken. Friðjón dachte nicht an solche Dinge, war immer zerstreut und mit vermeintlich Wichtigerem beschäftigt, und Yrsa, ja, Yrsa verstand nichts von Kindern, das war offensichtlich. Also war es ihre, Ástas Aufgabe, darauf zu achten, dass die armen Kinder wenigstens ab und zu etwas Schönes erlebten. Wenn Friðjón und Yrsa nicht da waren. Heute war Sonntag, daher war weniger Personal vor Ort als sonst. Das Lächeln in den Gesichtern der kranken Kinder freute sie so sehr, und für einen Moment glaubte sie, ihr eigener Junge würde dort in der Sonne herumtollen. Sie rief sogar nach ihm, nach ihrem Sohn, rief und rief, doch sie bekam keine Antwort, bis sie merkte, dass sie einen Jungen rief, der schon längst erwachsen war. Als sie die verwunderten Blicke der Kinder sah, senkte sie verlegen den Blick.

2012

HELGI

Helgi lag lesend im Bett, als sein Handy klingelte. Bergþóra schlief schon tief und fest. Er legte das Ellery-Queen-
Buch aus der Hand, etwas verärgert über das Klingeln, das
ihn aus der Romanwelt gerissen hatte, weg von den vergilbten, alten Seiten, an denen so viele Erinnerungen haf-
teten.

Es war schon nach zehn, und er kannte die Nummer
nicht, daher zögerte er kurz, ehe er ranging. Er stand auf
und ging leise in den Flur, damit Bergþóra weiterschlafen
konnte. Die jüngsten Wunden heilten gerade, alles hatte
sich wieder einigermaßen eingerenkt. Der nächste Konflikt kam bestimmt, aber bis dahin wollte er den Frieden
genießen.

»Hallo?«, sagte er zögerlich. Unsicher, was ihn erwartete.

»Ist da Helgi? Helgi Reykdal?«

»Ja.«

»Ja, hallo, hier ist Broddi. Wir haben uns gestern unterhalten.«

»Ach, hallo, schön, Sie zu hören«, sagte Helgi erstaunt.

»Entschuldigen Sie, dass ich so spät noch anrufe, aber ich wollte mich entschuldigen.«

Helgi wartete ab.

»Ja, mich dafür entschuldigen, dass ich mich so aufgeführt habe, ich war einfach nicht in der Stimmung, über damals zu reden, über die Verhaftung und all das. Es tut mir leid, dass ich Sie quasi rausgeworfen habe.«

»Keine Sorge, ich kann nicht verlangen, dass Sie mir überhaupt irgendetwas erzählen.«

»Tja, doch, irgendwie fühle ich mich schlecht deswegen. Ich würde Ihnen gern meine Sicht der Dinge schildern, wenn Sie ein paar Minuten haben. Es tut gut, mit jemandem zu reden.«

»Natürlich.« Helgi war ins Wohnzimmer gegangen, nahm sich Stift und Zettel und setzte sich.

»Ich habe es nie leicht gehabt im Leben. Als hätte sich das Leben gegen mich verschworen und mir immer wieder Steine in den Weg gelegt.«

»Das Leben hat sich gegen Sie verschworen?« Helgi verstand nicht ganz, was er damit meinte.

»Ja, damit meine ich, dass das Schicksal immer wieder eingegriffen und es mir schwergemacht hat.« Nach einer Weile fügte er hinzu: »Ich habe es wirklich schwer gehabt.«

»Ja …«, sagte Helgi, der nicht wusste, ob er die Geschichte wirklich hören wollte.

»Meine Mutter hatte nie Geld«, begann Broddi. »Sie geriet ständig in irgendwelche Schwierigkeiten. Sie trank auch, nicht viel, aber genug, dass der Alkohol ihr im Weg stand. Sie verstehen, was ich meine. Sie behielt nie lange denselben Job, das hat sich auch auf unser Familienleben ausgewirkt. Ich habe meinen Vater nie kennengelernt, genauso wenig wie mein Bruder. Immerhin wusste er, wer sein Vater war, auch wenn sie sich nicht kannten, aber ich wusste es nie. Ich glaube, noch nicht einmal meine Mutter wusste es sicher. Und dann starb mein Bruder, und nur noch Mutter und ich waren übrig. Manchmal hatten wir kaum Geld für etwas zu essen, obwohl ich im Sanatorium wenigstens etwas verdiente. Es lief ganz gut bei mir, mit der Arbeit und so. Dann starb Mutter, ich hatte die Wohnung für mich und wollte mir eine Frau suchen. Ich wollte nicht mein ganzes Leben allein bleiben, verstehen Sie?« Er schwieg, und Helgi hörte seinen schweren Atem am anderen Ende der Leitung. »Ich hatte sogar schon erste Verabredungen mit einer Frau. Aber dann wurde ich verhaftet. Dieser Kommissar war das, dieser Sverrir. Ich erinnere mich noch daran, als wenn es gestern gewesen wäre. Es war auch eine Frau dabei, die aber nicht viel gesagt hat. Sie meinten, ich hätte Yrsa getötet, und kurz darauf dachten alle, wirklich *alle*, dass ich der Mörder sei. Es spielte keine Rolle, dass ich wieder freigelassen wurde, so einen Stempel wird man nicht mehr los. Jeder kennt jeden, danach waren die Leute mir gegenüber misstrauisch. Stellen Sie sich vor, wie ich mich gefühlt habe, Helgi.«

»Ich kann mir vorstellen, dass das schwierig für Sie war.«

»Ich glaube, Sie können sich nicht in meine Lage versetzen, leider, aber ich werde Ihnen sagen, wie es war, ja, ich werde es Ihnen so gut es geht erklären. Sie kennen das doch, es ist ein schöner Sommertag, man wacht auf, weil die Sonne durchs Fenster scheint, und man stellt sich einen wunderbaren Tag vor. Man lässt sich sogar zu ein wenig Freude hinreißen – hin und wieder darf man das mal. Können Sie sich das vorstellen, Helgi? Du liegst noch im Bett und guckst aus dem Fenster und freust dich. Und dann schließt du die Augen, und wenn du sie wieder öffnest, bist du draußen, und die Sonne ist weg. Es ist Abend, und es regnet, Helgi, es tropft dir ins Gesicht, die Tropfen landen auf deinen Wangen und werden zu Tränen, weil du weinst, du weinst, weil du nicht verstehst, was passiert ist, du weißt nur, dass du diesen einen Sonnentag verpasst hast, und jetzt stehst du im Regen, dir ist kalt, und du bist einsam. Und dann ...« Er machte eine kurze Pause. »Und dann, Helgi, wird dir klar, dass dir jemand diesen Sommertag gestohlen hat, jemand hat dir dein Leben geklaut, vielleicht unabsichtlich, vielleicht bewusst. Kurz gesagt: Das ist mein Leben, Helgi. Mein Leben war auf einmal weg, die besten Jahre futsch, niemand wollte mehr in meiner Nähe sein, und ich bin nach Reykjavík geflohen.«

Jetzt schwieg er, wahrscheinlich weil er Luft holen musste. Helgi nutzte die Chance und ergriff das Wort.

»Ich weiß nicht so recht, was ich dazu sagen soll, Broddi. Meinen Sie, die Verhaftung ist an allem schuld?«

»So etwas lässt sich nicht leicht beweisen«, antwortete Broddi selbstbewusst, »aber ich habe keine Zweifel. Es ist schwer, sich in jemanden hineinzuversetzen, der unschuldig verhaftet wurde, eines schlimmen Verbrechens verdächtigt, Helgi. Selbst Sie als Kriminologe können sich das wohl kaum vorstellen.«

»Da haben Sie vermutlich recht. Aber ich weiß, wie wichtig es ist, dass für Gerechtigkeit gesorgt wird, wenn auch spät.«

Keiner sagte etwas.

»Deuten Sie damit an, dass der Fall noch weiter untersucht wird?«, fragte Broddi schließlich.

»Das liegt nicht in meinem Aufgabenbereich«, antwortete Helgi wider besseres Wissen. Er würde bald bei der Polizei einsteigen, das stand so gut wie fest, und so langsam hatte er Lust, den Aufsatz Aufsatz sein zu lassen und sich stattdessen in offizielle Ermittlungen zu stürzen, herauszufinden, was vor dreißig Jahren wirklich passiert war.

»Ist es dafür jetzt nicht etwas zu spät?«, sagte Broddi mit wehmütiger Stimme. »Viel zu spät.«

»Danke für Ihren Anruf, Broddi. Danke, dass Sie mir Ihre Geschichte erzählt haben.«

»Behalten Sie sie für sich, mein Lieber. Eigentlich wollte ich nicht so viel erzählen, aber manchmal übermannen einen die Gefühle, gerade in meinem Alter.«

»Ich lasse Sie wissen, wenn es Neuigkeiten gibt«, sagte Helgi. »Und bei Gelegenheit trinken wir vielleicht noch mal einen Kaffee zusammen. In der nächsten Zeit bin ich voll und ganz mit dem Schreiben beschäftigt.«

»Melden Sie sich jederzeit, Helgi. Ich helfe gern.«

Sie verabschiedeten sich, und Helgi dachte, dass er dringend mit Tinna sprechen musste. Er brauchte das Gesamtbild und hatte das Gefühl, dass ohne sie das entscheidende Puzzleteil fehlte.

2012

HELGI

Diesmal war der Schaden gravierender als sonst.

Ihr Fernseher, der neue Flatscreen, lag kaputt auf dem Boden. Das musste endlich aufhören. Ein neuer Fernseher kostete eine Stange Geld, und einen neuen mit Flachbild konnten sie sich schon gar nicht leisten, aber das war nicht das Entscheidende. So konnte es nicht weitergehen, das ewige Gestreite, die Angriffe. Es war mal wieder ziemlich laut geworden, und Helgi wunderte sich, dass der Nachbar diesmal nicht die Polizei gerufen hatte. Ein Glück.

Er nahm das Kehrblech und fegte die zerbrochene Blumenvase auf. Um den Fernseher würde er sich später kümmern. Das konnte bis morgen warten, kaputt war kaputt. Er für seinen Teil sah sowieso nicht so gern fern; die Nachrichten konnte er auch online verfolgen. So blieb ihm noch mehr Zeit zum Lesen. Das Ellery-Queen-Buch stand wieder im Regal. Der Text hatte leider nicht das Zeug zu einem zeitlosen Klassiker, er hatte nach der

Hälfte aufgegeben und sich stattdessen ein Buch vorgenommen, das ihm definitiv gefallen würde: eine der ersten Übersetzungen eines Romans von Agatha Christie, *Der Mord an Roger Ackroyd*. Dieses Buch liebte er sehr. Die Übersetzung von 1941 las sich immer noch wunderbar, die alten Formulierungen und die vergilbten Seiten ließen ihn in alte Zeiten abtauchen. Genau diese Art von Entspannung brauchte er jetzt. Bergþóra hatte sich wie immer ins Schlafzimmer verkrochen und die Tür abgeschlossen. Na schön. Er war es ja gewohnt, auf dem Sofa zu schlafen.

Auf einmal klopfte es.

Vor Schreck rutschte ihm das Buch aus der Hand. Er stieß einen Fluch aus.

Ob es doch wieder die Polizei war?

Was sollte er diesmal sagen, um sie loszuwerden?

Wieder klopfte es.

Er eilte in den Flur und warf einen Blick in den Spiegel. Das verdammte Hemd war gerissen, aber zum Glück war diesmal kein Blut geflossen.

Schnell warf er sich einen Mantel über. Wahrscheinlich wirkte es komisch, dass er drinnen einen Mantel trug, aber besser als ein zerrissenes Hemd.

Dann öffnete er die Tür, vor der zu seiner großen Verwunderung der Nachbar stand, der mal wieder aussah, als hätte er die Nacht durchgemacht, die Haare zerzaust und das Hemd nur halb in der Hose. Er hatte einige Kilo zu viel auf den Hüften und atmete schwer.

»Helgi«, sagte er mit bösem Blick. Er stand breitbeinig in der Tür, als hätte er hier das Sagen.

»Hallo. Ich wollte gerade aufbrechen.« Helgi rang sich ein Lächeln ab.

»Es war wieder laut bei euch. Du weißt, dass ich kleine Kinder habe.« Der Mann hatte die Stimme erhoben und bekam dabei eine undeutliche Artikulation. Es stand ihm nicht gut, wenn er sich so aufregte.

»Das war nur ein Missgeschick, eine Vase ist kaputtgegangen. Das Haus muss wirklich furchtbar hellhörig sein, dass ihr euch ständig beschwert.«

»So geht das nicht weiter. Die Kinder kriegen Angst.«

»Wenigstens hast du diesmal nicht die Polizei gerufen.«

»Ja, ich … ich …«

»Ich weiß, dass du mir die Polizei auf den Hals gehetzt hast.« Er sah ihn provozierend an. »Du weißt schon, dass ich selbst bei der Polizei bin?«

»Was? Nein, das wusste ich nicht.«

»Schön, dann weißt du es jetzt. Ich mag es nicht, wenn die kostbare Zeit der Kollegen für solche Nichtigkeiten draufgeht.«

»Dürfte ich kurz mit deiner Frau sprechen?«, fragte der Nachbar nach einer kleinen Pause.

»Warum willst du mit ihr sprechen? Sie hat nichts mit dir zu bereden, auch wenn sie besser auf dich zu sprechen ist als ich. Ich habe die Schnauze voll davon, dass ihr euch ständig einmischt.«

Der Nachbar schnaubte. »Ich will so einfach nicht wohnen, fast täglich gibt es Krach bei euch.«

»Dann zieht ihr wohl besser um«, sagte Helgi und knallte die Tür zu.

Er zog den Mantel wieder aus, ging zurück ins Wohnzimmer und sank mit dem Agatha-Christie-Buch aufs Sofa.

Jetzt fehlte nur noch die Musik, bei Jazz-Untermalung las es sich am besten, aber er wollte sich nicht mehr rühren.

Sogar die leere Weinflasche auf dem Tisch durfte stehen bleiben, obwohl sie ihn an den Streit erinnerte, ja, nicht nur erinnerte, sondern im Grunde war sie der Auslöser für das, was passiert war. In einem gewissen Maße, aber die Wurzeln lagen natürlich tiefer.

Das Buch hatte kein Coverbild, es gab keinen Klappentext, nichts, was von der eigentlichen Geschichte ablenkte. Er hatte sie schon zigmal gelesen, aber schon der allererste Satz zog ihn in die Romanwelt hinein, in der ihm nichts und niemand etwas anhaben konnte.

1983

TINNA

Irgendwie fröstelte es Tinna seit dem Abend. Sie hatte sich schon unter eine Decke gekuschelt, aber trotzdem zitterte sie. Noch dazu fühlte sie sich irgendwie unwohl im dunklen Schlafzimmer, lag mit aufgerissenen Augen da und starrte auf die Schatten an der Wand. Irgendwann hatte sie es aufgegeben, war aus dem Bett gekrochen, hatte das Licht angeknipst und beschlossen, ein heißes Bad zu nehmen. Diesen Luxus gönnte sie sich viel zu selten, und genau das brauchte sie jetzt, nach diesem schweren Tag. Der Tag war wirklich hart gewesen, irreal. Wenn sie die Augen schloss, würden zwei Albträume auf sie warten, das wusste sie. Sowohl Yrsas als auch Friðjóns Leiche würde sie sehen.

Das dampfend heiße Bad half ihr, auf andere Gedanken zu kommen. Sie hatte sogar eine Kerze angezündet, aber das Licht ließ sie trotzdem lieber an. Langsam entspannte sie sich, ihr Körper wärmte sich auf, und sie schloss die Augen, ließ den Kopf unter die Wasseroberfläche sinken und hielt den Atem an, konzentrierte sich ganz darauf und vergaß so lange alles andere.

Die Wohnung war klein, aber trotzdem hatte sie immer mal wieder Angst zu Hause, war das Alleinsein nicht gewohnt und fühlte sich dann wieder wie das kleine Mädchen, das sich abends nicht getraut hatte, durch das Haus der Eltern zu laufen. Oft reichten Kleinigkeiten, ein Geräusch, das sie nicht einordnen konnte, ein unangenehmes Gefühl. Dass die Wohnung im Erdgeschoss lag und potenzielle Einbrecher leichtes Spiel hatten, machte die Sache nicht besser. Ihr schlimmster Albtraum war, dass sie irgendwann aufwachte und jemand vor ihrem Bett stand. Natürlich war das noch nie passiert, aber nach den jüngsten Ereignissen im Sanatorium spielte ihre Fantasie verrückt. Am liebsten hätte sie bei ihren Eltern übernachtet. Aber das kam nicht in Frage, trotz allem musste sie sich wie ein erwachsener Mensch verhalten.

Niemand will mir etwas tun, dachte sie und tauchte auf. Diese Beteuerung wiederholte sie wieder und wieder, erst in Gedanken und schließlich im Flüsterton. Nur die Wände hörten zu.

Doch ohne dass sie etwas dagegen tun konnte, holten sie die Ereignisse des heutigen und der letzten Tage wieder ein, sie wurde diese Gedanken einfach nicht los.

Die Fliesen an den Wänden waren weinrot und mit Rosen verziert und entsprachen überhaupt nicht Tinnas Geschmack. Eigentlich hatte sie sie schon längst von der Wand schlagen wollen, aber sie war noch nicht dazu gekommen und wusste auch, dass eine Badezimmerrenovierung teuer war. Außerdem war ihr klar, dass sie nicht ewig hierbleiben würde. Das war ihre erste eigene Wohnung, eine Unterkunft auf Zeit. Denn früher oder später würde sie ohnehin nach Reykjavík ziehen.

Die weinrote Farbe und die geschmacklosen Blumen nervten Tinna nicht nur, sondern lösten geradezu körperliches Unwohlsein bei ihr aus. Als steckte sie in der Vergangenheit fest. Sie lag reglos in der Wanne und starrte an die Decke. Die war wenigstens weiß gestrichen, neutral. Nichts zu fühlen war besser als das Gefühlschaos der letzten Tage.

Auf einmal hörte sie etwas. Es klang so, als wäre jemand im Hinterhof. Das Badezimmerfenster in ihrem Rücken ging nach hinten raus, aber es war nie jemand auf dem Hof, schon gar nicht im Winter und im Dunkeln. Sie musste sich verhört haben.

Sie setzte sich auf, saß mucksmäuschenstill oder eben so still, wie es ging, die Wasseroberfläche bewegte sich trotzdem leicht. Sie hörte nichts außer ihrem eigenen Atem, der von den hässlichen Fliesen widerhallte. Sie hatte das Gefühl, die Rosen stürzten auf sie ein, ihr Atem wurde immer schneller und die Angst immer größer. Aber natürlich bildete sie sich das nur ein, sie musste keine Angst haben. Vielleicht war es nur eine Katze gewesen, irgendein harmloses Geräusch. Sie war nur überspannt und interpretierte in die alltäglichsten Geräusche alles Mögliche hinein. Leise sank sie zurück ins Wasser und lauschte.

Alles war ruhig. Sie musste aufpassen, dass die Fantasie nicht mit ihr durchging.

Sie schloss die Augen und entspannte sich wieder, wollte noch einmal untertauchen und den Kopf frei kriegen.

Doch da hörte sie dasselbe Geräusch wieder. Es bestand kein Zweifel, da draußen war jemand, unangenehm nah am Fenster. Als wollte derjenige, dass sie ihn bemerkte. Das Fenster war offen, Dampf zog durch den kleinen Spalt, und man hörte draußen sicher auch, dass sie hier war, in diesem Raum.

Steif vor Angst setzte sie sich wieder auf.

Da war jemand.

Hatte sie die Wohnungstür abgeschlossen?

Sie bekam eine Gänsehaut.

Sie wagte es nicht, sich zu dem beschlagenen Fenster umzudrehen, was sie früher oder später aber tun musste. Wenn ihr jemand etwas antun wollte, hätte er jetzt leichtes Spiel. Sie musste so schnell wie möglich aus der Wanne. Sie holte tief Luft und stand auf, vorsichtig, damit sie nicht das Gleichgewicht verlor.

Dann gewann doch die Neugier, und sie wagte einen kurzen Blick über die Schulter.

Da sah sie ihn, einen matten Schatten am dunklen Fenster. Draußen stand tatsächlich jemand, und es sah aus, als versuchte er – oder sie –, zu ihr hineinzuspähen, durch die beschlagene Fensterscheibe.

Sie war so schutzlos, splitternackt im erleuchteten Bad,

allein. Noch nie in ihrem Leben hatte sie eine solche Angst gehabt.

Beim Anblick des Schattens zuckte sie jäh zusammen und rutschte weg. Der Sturz war unwirklich und furchtbar zugleich, nur ein kurzer Augenblick, der ihr wie eine Ewigkeit vorkam, gleich würde ihr Kopf am Wannenrand aufschlagen, und sie würde ertrinken. Doch irgendwie gelang es ihr, sich mit den Händen abzufangen, und sie landete glimpflich. Panisch rappelte sie sich auf und kletterte aus der Wanne. Der Schatten war immer noch am Fenster und rührte sich kaum, aber es war keine Frage, dass dort jemand stand.

Tinna rannte in den Flur, dabei rutschten ihre nassen Füße auf dem glatten Boden immer wieder weg. Zuerst lief sie zur Wohnungstür und riss an der Klinke. Zum Glück war die Tür abgeschlossen. Dann sprang sie in das kleinere der beiden Zimmer – der einzige fensterlose Raum in der Wohnung –, knallte die Tür zu und schloss sie ab. Wobei ihr die Tür im Fall der Fälle sicher keinen großen Schutz bieten würde. Zuletzt schob sie noch den Schreibtisch davor. Wer war das da draußen, und warum stand er vor ihrem Fenster? Das musste mit den Ereignissen im Sanatorium zu tun haben, etwas anderes konnte sie sich kaum vorstellen …

Tinna kauerte sich in eine dunkle Zimmerecke, nackt, zitternd und allein, lauschte ihrem Herzschlag und versuchte, einen klaren Kopf zu kriegen.

1983

TINNA

Die blaukarierte Tischdecke, das graublaue Service, das schlichte Besteck, die dänische Wasserkaraffe aus Kristallglas – das alles war so vertraut, so heimelig altmodisch und gemütlich. Genau das brauchte Tinna jetzt, am Tag nach Friðjóns Tod, einen Abend nachdem der Unbekannte in ihr Fenster gespäht und ihr einen Mordsschrecken eingejagt hatte.

Eine halbe Stunde hatte sie in dem fensterlosen, dunklen Raum gewartet, mindestens eine halbe Stunde, die ihr wie eine Ewigkeit vorgekommen war. Ihre Augen hatten sich an die Dunkelheit gewöhnt, nur durch den Spalt unter der Tür fiel ein schmaler Streifen Licht herein, und sie bezweifelte, dass sie sich jemals wieder herauswagen würde. Aber irgendwann hatte sie natürlich doch Mut gefasst und sich in den Flur geschlichen, durchgefroren und ängstlich. Nach jedem Schritt hatte sie gelauscht, auf dem Weg alle Lichter gelöscht und sich vergewissert, dass der

Späher verschwunden war. Sie hatte alle Vorhänge zugezogen und die Fenster sorgfältig verschlossen. Das Einschlafen hatte ewig gedauert, und sie hatte einen Albtraum nach dem anderen geträumt. An Details erinnerte sie sich nicht mehr.

Jetzt saß sie zum Abendessen bei ihren Eltern, nach einem weiteren Arbeitstag im Ausnahmezustand. Sie war froh über die Gesellschaft, obwohl sie befürchtete, dass die Eltern über die Ereignisse im Sanatorium sprechen wollten.

Es gab Lammrücken, ein Festessen, der Duft erinnerte sie an die Sonntagabende ihrer Kindheit und Jugend, an die immer gleichen ereignislosen Sonntage. Bei erster Gelegenheit war sie dieser Routine entflohen, hatte sich eine eigene Wohnung gesucht und wollte bald nach Reykjavík ziehen, möglichst weit weg von den Eltern. Aber jetzt, in diesem Moment, wollte sie nirgendwo anders sein.

»Sicher, dass du nicht bei uns übernachten willst?«, fragte ihr Vater, und das nicht zum ersten Mal. Er war ein deutlich herzlicherer Typ als die Mutter und besorgt um seine Tochter, solange Tinna denken konnte. Ihre Mutter Guðrún hingegen war eiskalt und sagte wenig, aber sie mischte sich in alles ein und machte sich dadurch schnell Feinde. Viele Züge ihrer Mutter war Tinna über die Jahre leid geworden, was zweifellos dazu beigetragen hatte, dass sie bei erster Gelegenheit von zu Hause ausgezogen war. Natürlich liebte sie ihre Mutter, diese Liebe war gegenseitig, aber richtig gut verstanden sie sich nicht. Im Grunde verstand Guðrún sich mit niemandem, außer vielleicht mit Tinnas Vater. Zwischen Tinnas Eltern herrschte eine Art stillschweigende Übereinkunft, dass sie miteinander auskamen und sich sogar liebten.

»Ganz sicher, Papa. Ich fühle mich wohl in meiner Wohnung, und weit ist es ja auch nicht.«

»Ja schon, aber das ist doch eine Ausnahmesituation, Tinna. Es schaudert einen, wenn man an diese Todesfälle denkt. Das geht doch nicht mit rechten Dingen zu. Und dass du auch noch beide Leichen entdecken musstest – fürchterlich, ganz fürchterlich.«

»Jetzt dräng sie nicht«, mischte sich Guðrún in gewohnt scharfem Ton ein. »Sie ist ein erwachsener Mensch. Sie kann für sich selbst sorgen. Außerdem ist die Sache doch klar, oder? Friðjón hat die arme Frau getötet und sich dann vom Balkon gestürzt.« Dann fügte sie hinzu: »Ich erinnere mich noch von früher an Friðjón, er ist nie der Sympathischste gewesen. Arrogant und irgendwie wenig vertrauenerweckend. Dabei sollte man einem Arzt doch trauen können.«

Das sah ihr mal wieder ähnlich, dachte Tinna, verurteilt ihre Mitbürger, ob tot oder lebendig. Sie selbst war immer gut mit Friðjón zurechtgekommen.

Von dem nächtlichen Besucher hatte sie ihren Eltern natürlich nichts erzählt, genauso wenig wie von den Schritten, die sie im Krankenhaus gehört hatte, nachdem sie auf Friðjóns Leiche gestoßen war. Das behielt sie im Moment lieber für sich.

»Wie ist denn in diesen Tagen der Sanatoriumsalltag, Liebes?«, fragte Tinnas Vater. »Ihr schafft im Moment wahrscheinlich nicht so viel, oder? Seid ihr immer noch mit allem möglichen Bürokratie-Kram für das Krankenhaus Akureyri beschäftigt?«

»Ja. Wir versuchen, den Betrieb so gut es geht am Laufen zu halten.«

»Ja, das verstehe ich«, sagte er. »Trink ein bisschen Cola, Schatz, du kannst ein wenig Energie gebrauchen.« Cola zum Sonntagslamm war auch Tradition bei ihnen, ein Glasfläschchen pro Person, auch diesmal, obwohl gar nicht Sonntag war. Tinnas Flasche stand noch ungeöffnet auf dem Tisch. Eigentlich hatte sie Lust auf etwas Stärkeres, aber sie trank nie Alkohol bei ihren Eltern.

Er reichte ihr den Flaschenöffner, und sie öffnete die Flasche und trank einen Schluck.

»Ich denke, ich bleibe nicht mehr lange dort«, sagte sie dann unvermittelt.

»Ach ja?«, fragte Tinnas Mutter mit hochgezogenen Brauen.

»Ja, ich überlege, mich in Reykjavík zu bewerben, nicht sofort, aber vielleicht in ein, zwei Jahren.«

»Ach schade, wir finden es so schön, dich in der Nähe zu haben«, sagte der Vater. »Aber es ist natürlich dein Leben.«

»Ich fühle mich dort oft nicht richtig wohl«, sagte sie nach einer kurzen Pause. Das war die Wahrheit. »Zu viel Geschichte in den alten Mauern, zu viel ... ja, zu viel

Trauriges ist dort passiert. Und die aktuellen Ereignisse hinterlassen auch ihre Wirkung, weißt du?« Ihr fiel auf, dass sie eigentlich nur mit ihrem Vater sprach. Sie hatte keine Lust, ihre Gedanken mit der Mutter zu teilen, obwohl sie mit am Tisch saß.

»Das war damals alles so furchtbar«, sagte er. »Die Tuberkulose, eine so ansteckende Krankheit, so gnadenlos, es konnte wirklich jeden treffen. Am schlimmsten war es, wenn man von Kindern erfuhr, die sich angesteckt hatten. Manche erholten sich wieder davon, andere nicht. Mein Freund Oddur wurde krank und musste lange im Sanatorium bleiben. Aber er hat sich erstaunlich gut davon erholt. Dieses Gebäude war damals eine Art Symbol des Todes, aber das hat sich inzwischen ja zum Glück geändert.«

2012

ÞORRI

Es war wirklich merkwürdig, dass der junge Mann sich so
für die damaligen Ereignisse interessierte, fand Þorri,
nach all den Jahren. Er selbst hatte das alles weit von sich
geschoben und sich stattdessen auf die Arbeit konzentriert, was ihm recht gut gelungen war. Einige Jahre nach
den Todesfällen war er vom alten Tuberkulosesanatorium
ans Krankenhaus Akureyri gewechselt, heilfroh, die düs-
teren Flure los zu sein, das alte Gemäuer, bei dem man
den Eindruck haben konnte, dass in jeder Ecke und in jedem Winkel alte Gespenster lauerten.

Alle zwei Wochen reiste Þorri nach Reykjavík, wo er als
Chirurg in seiner eigenen Praxis arbeitete, das Einkommen ein wenig aufbesserte. Die nächste Reise war für den
kommenden Montag geplant. Er hatte diesem Helgi gesagt, dass sie sich gern treffen könnten, obwohl er eigentlich kein Interesse daran hatte.

Unwillkürlich dachte er an die alten Kollegen, an die

noch lebenden. Tinna und Elísabet waren nach Reykjavík gezogen. Er selbst hatte dieser Versuchung widerstanden, fühlte sich in einem etwas kleineren Ort deutlich wohler und hatte hier ja auch seine Karriere vorangebracht. Lange Zeit hatte auch sein Vater ihn im Norden gehalten, bis der Alte gestorben war, in geradezu biblischem Alter, gemessen an seinem Lebenswandel. Jahrzehntelang hatte er auf der Straße gelebt, zwischendurch, in seinen nüchternen Phasen, war er bei Þorri untergekommen und hatte sich dann rührend um seine Enkelkinder gekümmert, bis er plötzlich wieder weg war, ins Straucheln geriet und wieder auf der Straße landete. Dabei war er ein kluger Kerl gewesen, wollte Arzt werden, doch er hatte dem Druck nicht standgehalten und war als geschiedener Mann in der Gosse gelandet.

Und dann war da noch Broddi. Þorri hatte ihn seit Jahren nicht mehr gesehen. Auch er war inzwischen nach Reykjavík gezogen. Er war den Schatten, der seit der Verhaftung auf ihm lag, nie wieder losgeworden und hatte es in Akureyri schwer gehabt. Die Menschen konnten grausam sein, vor allem zu Leuten wie Broddi, der irgendwie immer außerhalb der Gesellschaft gestanden hatte. Der Fall war auch nie richtig aufgeklärt worden. Nach Friðjóns Selbstmord war die ganze Sache irgendwie im Sande verlaufen. Die Polizei hatte nie zweifelsfrei festgestellt, ob es sich wirklich um einen Selbstmord gehandelt hatte, auch wenn es eigentlich offensichtlich war, dass der Mann nicht aus Unachtsamkeit vom Balkon gestürzt war, denn so niedrig war das Geländer auch wieder nicht.

Dass er nun auf Helgis Bitte eingegangen war, fühlte sich an, als hätte er eine Tür zur Vergangenheit aufgestoßen, die er lieber zugelassen hätte. Er sah die Akteure von damals vor sich, war leicht nervös wegen des bevorstehenden Treffens, als müsste er unvorbereitet zu einer mündlichen Prüfung. Aber er hatte auch nicht nein sagen können. Aus irgendeinem Grund ließen sich die damaligen Ereignisse nicht gänzlich vergessen oder verdrängen. Aber wenigstens hatte er das Ganze relativ unbeschadet überstanden, wenn man das so sagen konnte. Er hatte nie ernsthaft unter Verdacht gestanden, jedenfalls wusste er nichts davon. Vielleicht hatte er zu jung und unerfahren gewirkt, als dass ihm jemand einen derart schwerwiegenden Konflikt mit Yrsa zugetraut hätte.

Was das anging, hatten sie ihn wohl gründlich unterschätzt. Gegen Yrsa hatte er zwar nichts gehabt, aber was den seligen Friðjón anging, konnte er das nicht behaupten.

2012

HELGI

Das Auto kroch im Schneckentempo durch den dichten Nachmittagsverkehr, Auto an Auto auf der Hringbraut. Helgi bemühte sich, gelassen zu bleiben, aber das war leichter gesagt als getan. Der Verkehr war noch schlimmer geworden als vor seinem Auslandsaufenthalt, es waren deutlich mehr Fahrzeuge auf den Straßen. Zu einem gewissen Grad lag das auch an den vielen Touristen. Auf Rás 2 lief das Nachmittagsprogramm, es dröhnte hohl in den alten Lautsprechern, manchmal hatte er das Gefühl, er höre bei einem anderen Fahrer mit. In der Sendung ging es um den Immobilienmarkt. Normalerweise interessierte sich Helgi nicht groß dafür, aber Bergþóra drängte darauf, dass sie sich etwas Eigenes kauften und nicht ewig auf dem Mietmarkt hängen blieben. Bis zum Jahresende wollten sie sparen und im neuen Jahr versuchen, eine Wohnung zu kaufen. In der Sendung sprach ein Ökonom, den Helgi bisher als Musiker kannte. Offen-

bar hatte er jetzt noch Wirtschaftswissenschaft draufge-
sattelt. In Island musste man mindestens zwei Jobs haben,
um über die Runden zu kommen. Er und Bergþóra hatten in den letzten Jahren nur Schulden angesammelt,
trotz des Sommerjobs bei der Polizei und Bergþóras Stelle
als Sonderpädagogin. Aber jetzt hatte er Aussicht auf ein
deutlich besseres Gehalt, wenn er die Stelle bei der Polizei
annahm.

Bergþóra wollte eine kleine Wohnung, mehr konnten
sie sich ohnehin nicht leisten. Der Mann im Radio beteu-
erte, dass die Immobilienpreise in den nächsten Jahren
noch deutlich anziehen würden, daher war das wahrscheinlich wirklich ein sinnvoller Plan. Eine Wohnung in
einem der Vororte, was bedeutete, dass der zähe Verkehr
auf dem Weg zur Arbeit dann ihr täglich Brot sein würde.
Das Problem war nur, dass er mit Bergþóra nicht wirklich in eine fernere Zukunft blicken konnte, sich nicht sicher war, ob er wirklich mit ihr eine Eigentumswohnung
kaufen wollte, ob sie überhaupt auf Dauer zusammen-
blieben – wann der große Knall kam. Daher schob er die
Entscheidung immer wieder raus, plante höchstens das
nächste Wochenende, den nächsten Monat, vielleicht auch
die Sommerferien, aber größere Pläne mussten warten.
Eigentum und Kinder, in dieser Reihenfolge oder auch
andersherum.

Hätte er doch wenigstens etwas mehr geerbt als die
emotional wertvollen, aber ansonsten wertlosen Bücher
seines Vaters, dann könnte er den Rat des Ökonomen im

Radio befolgen und einfach selbst eine Immobilie kaufen. Irgendwann später vielleicht. Jetzt war er auf dem Weg zu dem Arzt aus Akureyri, Þorri, der nach eigener Aussage jeden Monat mindestens zwei Wochen in Reykjavík war und die Bitte um ein kurzes Treffen gut aufgenommen hatte.

Þorri kam persönlich an die Tür seiner Praxis, streng frisiert und in weißem Arztkittel, darunter ein weißes Hemd und eine rote Krawatte. Er war groß und sah klug aus, der Blick war stechend, und er machte insgesamt den Eindruck, als wäre er es gewohnt, sich durchzusetzen. Er war das komplette Gegenteil von Broddi.

Das Wartezimmer und der Empfang der kleinen Privatpraxis sahen aus wie aus einem Designkatalog, alles war blitzblank, mit neuen Sofas und Couchtischen eingerichtet, und nirgendwo lagen alte Zeitschriften herum, als würde sich nie jemand in diesen Räumen aufhalten. An der Wand hing ein Kunstwerk, ein großes, abstraktes Gemälde, auf dem sich ein ferner Horizont erahnen ließ.

»Viel Verkehr«, sagte Þorri mit Blick auf die Uhr. Er klang gleichgültig, dabei war klar, dass er Helgi auf seine Verspätung hinwies. Þorri wartete keine Reaktion ab, sondern schlug lächelnd vor: »Am besten setzen wir uns in mein Büro.«

Das Büro war noch uncharmanter und unpersönlicher als das Wartezimmer, kühl und farblos, schwarze Möbel, weiße Wände, Laptop auf dem Schreibtisch, mehr nicht. Kaum vorstellbar, dass hier jemand arbeitete.

»Danke, dass Sie sich Zeit für mich nehmen«, sagte Helgi. »Sie haben sicher viel zu tun.«

Þorri setzte sich an den Schreibtisch und gab auch Helgi zu verstehen, dass er Platz nehmen sollte. Helgis Stuhl wirkte deutlich unbequemer als der Stuhl des Arztes, aber das war sicher Absicht, um das Machtgefälle zu unterstreichen.

»Schon, ich habe genug zu tun, aber so geht es allen Ärzten.« In seiner Stimme schwang Überheblichkeit mit.

»Sie arbeiten also hier und im Norden?«

»Ja, das ist korrekt. In Akureyri arbeite ich im Krankenhaus, und hier habe ich meine Privatpraxis. Früher hatte ich mehrere angestellte Ärzte, aber inzwischen arbeite ich allein, das ist deutlich angenehmer.«

»Aber Sie sind nicht mehr in derselben Einrichtung wie früher, oder? Im alten Tuberkulosesanatorium?«

»Nein, nein, keineswegs.« Die Frage schien ihn beinahe aufzuregen. »Da bin ich schon lange nicht mehr. In geringem Umfang wird der Betrieb dort noch aufrechterhalten. Aber für mich war das nicht herausfordernd genug.«

»Ah ja.« Helgi nickte. »Wie sind Sie seinerzeit dorthin gekommen?«

»Ich habe damals über die Tuberkulose geschrieben, mir alte Fälle angesehen, Krankenakten und dergleichen. Nur wegen der Recherchen hat es mich dorthin verschlagen. Das war eine Forschungsarbeit, es gab gute Stipendien und …«

»… und dann starb Friðjón, und Sie konnten seinen Posten als Oberarzt übernehmen.«

»Ich hatte keine andere Wahl. Was hätte ich denn tun sollen? Die Stelle interessierte mich nicht, aber der Oberarzt war tot, hatte sich vom Balkon gestürzt. Ich war ein gutes Jahr dort, wenn ich mich recht entsinne, habe aufgeräumt, den Laden auf Vordermann gebracht und bin dann abgehauen, ans Krankenhaus Akureyri.«

Helgi machte sich pro forma ein paar Notizen. Eigentlich verließ er sich auf sein Gedächtnis und fuhr damit meist gut.

»Sie haben aufgeräumt, sagen Sie?«

»Ja.«

»Wie meinen Sie das?«

»Ich habe die Finanzen restrukturiert.« Er machte eine kurze Pause. »Und Broddi gefeuert.«

»Warum?«

»Er saß wegen Mordverdachts in Untersuchungshaft. Ist das nicht Grund genug?«

»Er wurde wieder freigelassen.«

»Trotzdem war er ein merkwürdiger Typ.« Nach einer Weile fügte er hinzu: »Zitieren Sie mich bitte nicht direkt in Ihrem Aufsatz. Ich rede gerade ziemlich frei.«

Auf einmal beschlich Helgi der Gedanke, dass Þorri unter dem Einfluss von Alkohol stand, dass er vor dem Treffen ein Glas Wein oder Ähnliches getrunken hatte. Wenn dem so war, verbarg er das gut.

»Wie hat er es aufgenommen?«

»Broddi?«

»Ja.«

»Natürlich schlecht, das können Sie sich sicher denken. Aber ich bin nun mal nicht dafür verantwortlich, dass alle Menschen Arbeit haben.«

So wie Þorri sich verhielt, glaubte Helgi langsam wirklich, dass er etwas getrunken hatte.

»Woher kam Ihr Interesse an der Tuberkulose?«

»Mein Interesse?«

»Ja, Sie sagten, Sie haben eine wissenschaftliche Arbeit darüber geschrieben, als Sie ans alte Sanatorium kamen.«

»Ich sehe nicht, was das hier zur Sache tut«, entgegnete Þorri, der aussah, als bemühte er sich, Haltung zu wahren. »Die Gelegenheit hatte sich zufällig ergeben, Friðjón hatte mir die Stelle vermittelt. Ein guter Mann, der Friðjón.«

»Ja, sicher. Und woher kamen Sie?«

»Woher? Ans Sanatorium? Ich habe als Arzt woanders gearbeitet.«

»Auf dem Land?«

»Ähm, ja.« Þorri zögerte. »Ja, in Hvammstangi. Das war eine gute Gelegenheit, an einen etwas größeren Ort zu wechseln.«

»Klar, das verstehe ich. Und dann stürzte er sich vom Balkon.«

Þorri stutzte.

Helgi wurde deutlicher: »So hatten Sie es vorhin formuliert.«

»Ja, genau.«

»War das denn ganz klar?«

»Wie meinen Sie das?«

»Vielleicht habe ich etwas missverstanden«, sagte Helgi unschuldig, »aber ich dachte eigentlich, der Fall wäre nie ganz aufgeklärt worden.«

»Nie ganz aufgeklärt?« Þorri schnaubte. »Natürlich war der Fall aufgeklärt. Warum hätte der Mann das tun sollen, wenn er nicht für Yrsas Tod verantwortlich gewesen wäre?«

»Es sei denn, er wurde vom Balkon gestoßen.«

»Sind Sie verrückt?« Þorri stand auf. »Ehrlich gesagt verstehe ich Sie nicht ganz, Helgi. Ich sehe täglich viele Menschen und halte mich eigentlich für einen versierten Menschenkenner, aber was in Ihnen vorgeht, ist mir schleierhaft. Schreiben Sie wirklich eine wissenschaftliche Arbeit über die Todesfälle?«

Helgi war auch aufgestanden. Diese Unverschämtheit wollte er sich nicht bieten lassen, auch wenn er mit seinen Fragen vielleicht etwas vom Thema abgekommen war.

»Ja, das tue ich. Wie gesagt, ich studiere Kriminologie ...« Er dachte kurz nach, und weil er das Gefühl hatte, dass der Arzt etwas verbarg, fügte er hinzu: »... und in den nächsten Wochen steige ich als Teamleiter bei der Kriminalpolizei ein.«

Þorri war sichtlich irritiert.

»Also, entschuldigen Sie meine etwas schroffe Reaktion, aber ich verstehe nicht ganz, worauf Sie mit Ihren Fragen abzielen. Ich helfe Ihnen gern, soweit ich kann, aber … aber Sie haben doch wohl nicht vor, den Fall nach all den Jahren wieder aufzurollen?«

»Nein, nein, keineswegs.«

»Sollen wir uns wieder setzen? Darf ich Ihnen etwas zu trinken anbieten?«

»Mineralwasser wäre toll.«

»Ich habe auch Weißwein im Kühlschrank, falls Ihnen eher danach ist.«

»Nein, danke, ich bin mit dem Auto hier.«

»Ich hole Mineralwasser«, sagte der Arzt und kam wenig später mit einer Glasflasche und einem Glas Weißwein zurück.

Er gab Helgi das Wasser und setzte sich wieder. »Langer Tag«, sagte er entschuldigend, als wollte er den Wein rechtfertigen.

»Das kenne ich«, sagte Helgi. »Sagen Sie mir, wie haben Sie damals die Ermittlungen erlebt? Ist die Polizei sorgfältig vorgegangen?«

»Ich muss zugeben, daran erinnere ich mich nicht mehr so genau. Ein junger Mann hat die Ermittlungen geleitet.«

»Er hieß Sverrir«, sagte Helgi.

»Kann sein, ich weiß es nicht mehr.« Þorri trank einen Schluck von seinem Wein. »Er war recht akribisch, meine ich. Auch mit mir hat er natürlich gesprochen, und ich habe versucht, ihm so gut es ging zu helfen. Wobei ich nicht den Eindruck hatte, dass ich jemals ernsthaft unter Verdacht stand.« Þorri sagte das, als wäre dieser Gedanke abwegig.

»Wie war damals die Stimmung im Sanatorium? Wahrscheinlich hat das alles die Atmosphäre ganz schön belastet, oder?«

»Ja, sicher … Zum Glück hielt dieser Zustand ja nicht lange an. Und ich hatte zum Glück auch nie das Gefühl, in Gefahr zu sein, obwohl Yrsa ermordet worden war. Vielleicht hatte man den alten Friðjón insgeheim die ganze Zeit über in Verdacht. Dass da irgendwelche ungeklärten Dinge zwischen den beiden standen, die mich nichts angingen …« Þorri trank noch einen Schluck. »Die uns andere nichts angingen, meinte ich.«

1983

TINNA

Als sie sich von ihren Eltern verabschiedete, musste sie ein weiteres Mal das Angebot ihres Vaters ausschlagen, dass sie bei ihnen übernachten könne. Sie wusste die Fürsorge natürlich zu schätzen, ihr Vater meinte es nur gut, und ganz so dumm war die Idee ja wirklich nicht. Vielleicht hätte sie tatsächlich einen Tapetenwechsel gebraucht, wenn auch nur für eine Nacht, um für einen Moment in die Vergangenheit abzutauchen, wo das Leben noch einfacher gewesen war. Vielleicht hätte sie in ihrem alten Bett etwas Schönes geträumt, ausnahmsweise mal nicht vom Sanatorium. Doch sie hatte nein gesagt, und dabei blieb es. Jetzt war sie auf dem Heimweg, lief in aller Ruhe den kurzen Weg zu ihrer Wohnung. Sie musste keine Angst haben. Die Stadt lag im Abenddunkel, sie mochte diese Stimmung und gab sich ihr hin, öffnete ihre Sinne, doch auf einmal hörte sie ein merkwürdiges Geräusch. Sie zuckte zusammen, ihr Mut war schlagartig verflogen. In Todesangst rannte sie los, rannte so schnell sie konnte, ihr Herz pochte, und sie fand ihren Schlüssel nicht. Hatte sie ihn bei ihren Eltern liegen lassen? Sie wagte es nicht, sich umzublicken. Dann endlich fand sie den Schlüssel in ihrer Tasche, öffnete blitzschnell die Wohnung, huschte hinein und schlug die Tür hinter sich zu. Unter normalen Umständen wäre ihr nicht in den Sinn gekommen, die Tür abzuschließen, aber jetzt achtete sie beim Verlassen der Wohnung und vor allem bei der Rückkehr penibel darauf.

Sie machte Licht im Flur und ging ins Schlafzimmer, machte auch dort Licht, setzte sich aufs Bett und verschnaufte. Das war sicher nur eine Katze gewesen, die durch die Straßen streunte, oder irgendein anderes harmloses Geräusch. Dass sie sich so erschreckt hatte … So konnte das nicht weitergehen. Der gestrige Zwischenfall war ganz sicher nur ein einmaliges Ereignis gewesen und hatte nichts mit ihr zu tun, hoffentlich war das nur eine unglückliche Seele gewesen, die durch die Hinterhöfe geirrt war. Ganz bestimmt.

Normalerweise entspannte sich Tinna abends beim Fernsehen, auch wenn das Programm nicht immer das beste war. Gern schlief sie auch vor dem Fernseher ein – wenn sie es schaffte, vor Programmende des Staatsfernsehens einzunicken, denn dann fühlte sie sich nicht ganz so allein in ihrer Wohnung. Auch heute sehnte sie sich nach solcher Art Gesellschaft, aber heute war Donnerstag, und donnerstags gab es kein Fernsehprogramm. Also wollte sie versuchen, sich mit Lesen abzulenken. Sie ging ins Schlafzimmer, schloss sich ein und zog sorgfältig die Vorhänge zu, dann legte sie sich mit der Zeitschrift *Víkan* aufs Bett, auf die Bettdecke, denn schlafen wollte sie noch nicht, dafür war es noch zu früh.

Auf einmal wurde sie vom klingelnden Telefon geweckt. Schon nach wenigen Seiten war sie tief und fest eingeschlafen. Sie zuckte zusammen und stand auf, war in Habachtstellung. Das letzte Mal, als es so spät geklingelt hatte, war es Sverrir gewesen, aber da der Fall jetzt so gut wie abgeschlossen war, rief er bestimmt nicht bei ihr an. Soweit sie wusste, waren Hulda und er allerdings noch in der Stadt.

Auch im Wohnzimmer waren die Vorhänge zugezogen, daher sah sie es zum Glück nicht, falls doch wieder jemand am Fenster stand. Sie zögerte kurz, dachte, dass sie vielleicht besser nicht ranging, aber natürlich hielt sie es nicht aus, musste wissen, wer da anrief.

»Hallo?«, sagte sie mit müder Stimme.

Sie hörte, dass am anderen Ende der Leitung jemand war, aber er sagte nichts.

»Hallo? Wer ist da?«

Weiter Stille, obwohl sie sich sicher war, dass der Anrufer sie gehört hatte. Sie wollte schon auflegen, doch dann zögerte sie, wollte verstehen, was dieser Anruf sollte. Sie blickte sich schnell um, hatte das Gefühl, dass jemand sie beobachtete, was natürlich absurd war. Doch Tinna war beunruhigt. Das konnte doch kein Zufall sein, oder?

Immer noch herrschte bedrohliches Schweigen am Telefon. »Wer ist da? Hier ist Tinna. Haben Sie sich verwählt?« Sie bemühte sich, selbstbewusst zu klingen, genervt, doch ihre zittrige Stimme verriet sie. Sie hatte Angst.

Es raschelte in der Leitung, dann legte der Anrufer auf. Der Anruf kam ihr ewig lang vor, dabei war er wahrscheinlich nur ganz kurz gewesen. Als hätte das Schweigen die Zeit ausgedehnt.

Auch sie legte auf, sah das Telefon an und trat einen Schritt zurück, als graute es ihr davor.

Niemand hatte ihr etwas getan, noch nicht, aber die Angst war da. Jemand wollte auf sich aufmerksam machen. Der einzige Mensch, der ihr einfiel, war die Person, die sich frühmorgens aus dem Sanatorium geschlichen hatte, nachdem sie auf Friðjóns Leiche gestoßen war. Sie hatte ganz bestimmt jemanden gehört, auch wenn sie der Polizei gegenüber nichts gesagt hatte. Vielleicht hatte die Person sie gesehen und wollte nun sicherstellen, dass sie auch weiterhin schwieg …

Vielleicht interpretierte sie aber auch zu viel in alles hinein. Ein Unbekannter, der sich gestern verirrt hatte, und jetzt dieser falsche Anruf. Hoffentlich … Sie hatte nicht vor, der Polizei etwas zu sagen, nachher würde dann alles nur noch schlimmer. Es passte ihr gut, dass die Ermittlungen jetzt vorbei waren. Dann konnte sie sich endlich Sverrir widmen.

Trotzdem musste sie herausfinden, wer da angerufen hatte. Sie holte tief Luft.

Ihr erster Gedanke war, Sverrir anzurufen. Also wählte sie die Nummer der Polizeiwache und fragte nach ihm.

»Tinna?« Er war hörbar erstaunt.

»Ja, hallo, störe ich gerade?«

»Ähm, nein, überhaupt nicht. Glück gehabt, dass Sie mich noch erwischen, ich wollte gerade nach Hause gehen. Oder vielmehr in die Pension.«

Er klang deutlich entspannter als bei ihrem letzten Gespräch.

»Also, ähm, es ist nicht dringend, aber ich wollte fragen, ob Sie mir einen kleinen Gefallen tun könnten.«

»Natürlich.«

»Vorhin hat jemand bei mir angerufen, und ich würde gern wissen, wer das war.«

»Ach ja? Wie meinen Sie das? War es etwas Schlimmes?«

»Nein, nein. Und es hat auch nichts mit dem Fall zu tun, überhaupt nicht. Das ist eine etwas unangenehme Sache, die lange vor dem Tod von Yrsa und Friðjón passiert ist«, log sie.

»Ja, also …« Er zögerte. »Hat Sie jemand bedroht?«

»Bitte? Nein, nein«, sagte sie schnell. »Aber vielleicht geht es auch gar nicht, so etwas herauszufinden …?«

»Doch, doch, das geht schon. Ich muss nur eine Verfolgung beantragen.«

»Eine Verfolgung?«

»Ja, eine Rufnummernverfolgung, das ist keine große Sache. Aber ist denn alles in Ordnung bei Ihnen?« Man konnte tatsächlich den Eindruck haben, dass sie ihm nicht gleichgültig war.

»Doch, doch, natürlich, alles gut bei mir.« Sie hoffte, dass er ihre Unsicherheit nicht heraushörte, die Angst. »Ich kriege einfach manchmal merkwürdige Anrufe, das erkläre ich Ihnen später noch einmal genauer. Also dann, vielen Dank für die Hilfe.«

»Das tut mir leid. Aber das finden wir schnell heraus, kein Problem«, sagte er. Tinna ahnte, dass solch eine Rufnummernverfolgung normalerweise nicht einfach so beantragt werden konnte, sondern Sverrir sich besonders für sie einsetzte. »Hoffentlich kann ich Ihnen schon morgen oder übermorgen sagen, was ich herausgefunden habe.«

1983

TINNA

Am nächsten Tag erschien Tinna lustlos bei der Arbeit. Broddi schlich über die Flure und sah ganz geknickt aus. Sie hatte Mitleid mit ihm, fühlte sich ein kleines bisschen verantwortlich dafür, dass man ihn eingesperrt hatte. Er sah wirklich furchtbar aus. Aber kein Wunder, nach dieser Erfahrung …

Þorri schien sich auf dem Oberarzt-Posten wohlzufühlen, war seit Friðjóns Tod wie ein anderer Mensch, als wäre er aus dem Schatten getreten. Doch sein Verhalten gefiel Tinna nicht, obwohl sie ihn früher eigentlich immer gemocht hatte. Er sprach von oben herab zu den Leuten, hörte nicht auf gute Ratschläge und wollte alle Fäden selbst in der Hand halten, anstatt ein gutes Team aufzubauen, in dem alle zusammenarbeiteten. Ja, nicht jeder war zum Chef geboren. Sie jedenfalls würde sich bei erster Gelegenheit nach etwas anderem umschauen.

Und dann war da Elísabet. Nach außen hin war sie

freundlich und nett, Tinna konnte sich nicht beklagen, aber irgendetwas an ihrem Verhalten kam Tinna falsch vor. Immerhin war Elísabet jetzt diejenige, die ihr sagte, was sie zu tun hatte, und das war in der Tat eine Verbesserung. Ein kleiner Lichtblick in dieser verfluchten Dunkelheit.

Der Tag kroch dahin, und es lag eine unangenehme Stille über dem Sanatorium.

Vielleicht war das nur vorübergehend so, eine Reaktion auf die Tragödie, die sich an diesem Ort ereignet hatte, aber vielleicht würde es auch nie wieder wie früher werden. Als Tinna das Sanatorium verließ und in die Kälte und ins Wochenende ging, stand ihr Entschluss fest: Sie würde sich die nächste Woche freinehmen, nach Reykjavík fahren und sich dort nach einer neuen Arbeit umsehen. Vielleicht in einem Krankenhaus oder Pflegeheim. In einer ganz neuen Umgebung.

An diesem Abend wollte sie sich entspannen, im Restaurant Bautinn mit ihrer Freundin Bibbi etwas essen. Und sie musste immerzu an Sverrir denken. Wahrscheinlich war er noch in der Stadt, das Wochenende stand bevor – vielleicht konnte sie ihn auf einen Kaffee einladen. Sie war sich ziemlich sicher, dass das Interesse gegenseitig war.

Um kurz nach sieben wollte Tinna gerade zum Restaurant aufbrechen, als es an der Tür klopfte. Sie zuckte zusammen, zögerte, fühlte sich gefangen. Was, wenn der Unbekannte jetzt zur Tat schreiten wollte? Der Späher am Fenster, der mysteriöse Anrufer … Er oder sie? Es gab nur einen Weg aus der Wohnung heraus, es sei denn, sie zwängte sich durch eines der kleinen Fenster. Ihre Gedanken spielten verrückt, und ihr Herz raste.

Wieder klopfte es, diesmal etwas fester als beim ersten Mal. Tinna hatte sich nie die Mühe gemacht, eine Klingel zu installieren, geschweige denn eine Gegensprechanlage, und es gab auch kein Guckloch an der Tür. Bislang hatte sie in dieser friedlichen Stadt nichts von alledem für nötig gehalten. Sie hatte sich nie unsicher gefühlt – bis jetzt. Jetzt war die Bedrohung greifbar, unangenehm nah.

Sie spielte mit dem Gedanken, einfach nicht zu öffnen, aber man sah natürlich von draußen, dass jemand zu Hause war. Wahrscheinlich übertrieb sie auch mal wieder, wahrscheinlich stand dort nur ein völlig harmloser Besucher.

Sie nahm ihren Mut zusammen und öffnete die Tür. Draußen stand Sverrir.

Sie atmete auf.

»Sverrir, hallo«, sagte sie. »Kommen Sie doch herein.«

»Ich wollte nur kurz vorbeischauen«, sagte er, nahm die Einladung aber doch an und folgte ihr in die Wohnung. Er setzte sich auf das Sofa im Wohnzimmer. »Ich wollte nur kurz nach Ihnen sehen. Und ich habe eine Antwort auf Ihre Frage.« Doch irgendetwas an seiner Stimme gab Tinna das Gefühl, dass etwas nicht stimmte.

Sie setzte sich, achtete auf genügend Abstand zu ihm. Er war leger gekleidet, also war es wahrscheinlich wirklich ein privater Besuch und nichts Dienstliches.

»Wie geht es Ihnen denn?«, fragte er.

»Doch, gut.«

»Das war sicher eine aufreibende Zeit für Sie, kann ich mir vorstellen?«

Sie zögerte, dachte kurz nach. »Ich glaube, ich kann sagen, dass es keine leichte Zeit war. Ziemlich unangenehm sogar.«

»Wir schließen den Fall ab, wie Sie sich wahrscheinlich denken können. Die Sache ist offensichtlich, scheint mir. Wir wissen zwar nicht, warum Friðjón Yrsa das angetan hat, aber das ist vielleicht auch nicht das Entscheidende. Die Hauptsache ist, dass die Gefahr vorüber ist, wenn man das so sagen kann.« Tinna hörte ihm an, dass er nicht wirklich überzeugt davon war.

»Ja, das ist eine große Erleichterung.«

»Wahrscheinlich war – außer natürlich Yrsa – nie jemand in Gefahr. Wir wissen nicht, was in Friðjón vorging, aber wir gehen davon aus, dass es Konflikte zwischen den beiden gab, in die niemand sonst verwickelt war. Er hatte ja auch keine Frau und keine Kinder, nur einen Bruder, der hier im Norden lebt, aber die beiden hatten nicht viel Kontakt. Selbst seine Freunde wissen kaum etwas über sein Privatleben.«

»Darf ich Ihnen irgendetwas anbieten?«

Er zögerte.

»Ähm, vielleicht …«

»Für einen Kaffee ist es wahrscheinlich zu spät. Rotwein? Es sei denn natürlich, Sie sind gerade im Dienst.«

»Nein, nein, ich bin nicht im Dienst. Ein Gläschen würde ich schon trinken.«

Sie stand auf, ging in die Küche und öffnete die einzige Flasche Wein, die sie hatte, billig und sicher schlecht. Aber immer noch besser als nichts. Tinna füllte zwei Gläser.

»Danke.« Er trank einen Schluck. »Wie gesagt: Ich habe Informationen über den Anruf erhalten. Schon etwas merkwürdig, muss ich sagen.«

Sie erschrak. Sie hatte sich so nach einer harmlosen, plausiblen Antwort gesehnt.

»Aber nichts, weshalb Sie sich sorgen müssten«, fügte er schnell hinzu.

»Ach ja?«

»Nein. Der Anruf kam vom Sanatorium.«

»Vom Sanatorium?« So spät am Abend? Zu dieser Zeit hätte niemand dort sein dürfen. Sie bekam eine leichte Gänsehaut.

»Haben Sie eine Ahnung, wer das gewesen sein könnte?«, fragte er, und sie hatte das Gefühl, dass das Rätsel für ihn womöglich doch noch nicht gelöst war, dass ihm die vermeintliche Aufklärung zu einfach und sauber war.

Sie dachte nach, versuchte, ihre Angst zu verbergen. »Ja, ich kann es mir denken. Eine alte Sache, die nichts mit den aktuellen Geschehnissen zu tun hat«, log sie und hoffte, dass er ihr nichts anmerkte.

»Na gut. Sind Sie sicher, dass wir dem nicht weiter nachgehen sollen?«

Sie schüttelte den Kopf. »Sind Sie denn sicher, dass der Anruf vom Sanatorium kam?«

»Ja.«

»Okay, nein, dann ist alles in Ordnung. Kein Problem.« Sie war froh, dass er da war, dass sie in diesem Moment nicht allein sein musste. »Haben Sie es eilig?«, fragte sie.

»Nein, überhaupt nicht«, antwortete er leicht verlegen.

Sie beugte sich vor, etwas näher an ihn heran, und roch sein Rasierwasser. Er sah schick aus, als hätte er sich Mühe gegeben. Vielleicht war er nicht nur wegen der Sache mit dem Anruf gekommen.

»Eine hübsche Wohnung haben Sie«, sagte er.

»Danke.« Sie lächelte. »Wo wohnen Sie denn? In Reykjavík, meine ich.«

»Ach, auf der Snorrabraut, eine kleine Singlewohnung. Aber ganz in Ordnung.«

Singlewohnung. Das war das Schlüsselwort.

»Sollen wir was zum Wein knabbern? Ich habe …« Die Küche war ziemlich leergefegt, leider. »Ich habe Kekse und vielleicht ein bisschen Käse.«

»Das wäre toll.«

Sie stand auf, ging in die Küche und suchte ein paar Knabbereien zusammen. Sie stellte die mickrige Bewirtung auf den Couchtisch und nutzte die Gelegenheit, sich zu Sverrir aufs Sofa zu setzen, mit gebührendem Abstand natürlich. Sie fühlte sich wohl in seiner Nähe. Zum ersten Mal seit den furchtbaren Ereignissen der letzten Tage fühlte sie sich einigermaßen sicher.

»Akureyri ist ein netter Ort«, sagte er, nachdem sie eine Weile geschwiegen hatten.

»Ja, ich bin hier aufgewachsen. Aber ich gehe bald nach Reykjavík, habe dort eine Stelle gefunden.« Es war schon in Ordnung, die Wahrheit ein wenig auszuschmücken. Der Zweck heiligte die Mittel.

»Ach ja?« Er hatte aufgemerkt. »Auch als Krankenschwester?«

»Ja, genau.«

»Das ist ja toll. Dann treffen wir uns vielleicht mal, wenn Sie umgezogen sind.«

Sie lächelte.

»Unbedingt.«

Doch plötzlich schauderte es sie. Sie kannte diesen Mann kaum und wusste, dass er als Leiter der Ermittlungen einen Schlüssel zum Sanatorium hatte. War womöglich er der Anrufer gewesen? Hatte er durchs Fenster gelugt?

Mit aller Kraft versuchte sie, das Unbehagen abzuschütteln.

2012

HELGI

Helgi hatte versucht, Tinna bei der Arbeit zu erwischen, im Borgarspítali. Ihm war bewusst, dass er sich in einer Grauzone bewegte, als einfacher Bürger, der einer Frau nachstellte, die ihm eindeutig zu verstehen gegeben hatte, dass sie nicht mit ihm sprechen wollte. Doch er war wie besessen von dem Fall, denn da war etwas, das er nicht verstand, eine andere Wahrheit unter der Oberfläche. Der Polizist in Helgi brach durch, während der Wissenschaftler in den Hintergrund trat.

Hinzu kam noch, dass er in der letzten Nacht schlecht geschlafen hatte, auch wenn das keine Entschuldigung für sein fast manisches Verhalten war. Diesmal hatte er mit Bergþóra das Bett geteilt, die Stimmung zwischen ihnen hatte sich wieder normalisiert, wenn auch nur vorübergehend, denn das grundlegende Problem war natürlich immer noch da. Er versuchte einfach nur, nicht daran zu denken. Dafür hatte er jetzt keinen Kopf. In der Nacht hatte er von Tinna geträumt. Aus irgendeinem Grund hatte er das Gefühl, dass der Schlüssel bei ihr lag. Dabei hatte er sich so fest vorgenommen, rein wissenschaftlich vorzugehen und die Todesfälle nicht als ungelöstes Rätsel zu betrachten. Aber das war nicht das erste Mal, dass er seine Vorsätze über den Haufen warf ...

Am Krankenhaus-Empfang sprach er einen älteren Mann an. »Ich suche eine Krankenschwester, die hier arbeitet, Tinna Einarsdóttir. Könnten Sie mir sagen, auf welcher Station ich sie finde?«

Der Mann sah ihn streng an.

»Solche Informationen geben wir nicht heraus, guter Mann«, sagte er unfreundlich.

»Entschuldigen Sie. Helgi Reykdal, von der Polizei.« Eigentlich hatte er diese Karte nicht ausspielen wollen, aber wenigstens entsprach es fast der Wahrheit, beruhigte er sein Gewissen. Er hatte die Stelle so gut wie angenommen, theoretisch könnte er schon im Dienst sein, im Grunde war das also eine reine Formsache.

»Ach so, entschuldigen Sie. Tinna? Einen Moment bitte. Ich sehe mal nach«, antwortete der Mann, der zu Helgis großer Erleichterung keinen Dienstausweis verlangte.

»Keine Eile«, sagte Helgi freundlich.

»Sie ist in der dritten Etage«, sagte der Mann jetzt deutlich netter als zu Beginn. »Die Aufzüge sind da hinten rechts, Sie gehen auf den Flur und dann nach rechts. Ich weiß nicht, ob sie gerade Dienst hat, aber das werden Sie auf der Station erfahren.«

Helgi folgte der Wegbeschreibung und fragte auf der genannten Station nach Tinna.

»Tinna? Nein, die hat sich heute krankgemeldet«, sagte eine Frau mittleren Alters in weißem Kittel. »Kann ich ihr etwas ausrichten?«

Er dachte kurz nach. »Nein, nein, schon in Ordnung, ich war nur in der Nähe und wollte ihr hallo sagen.«

Die Frau lächelte.

Er würde nicht sofort aufgeben, seine nächste Station war Tinnas Privatadresse. Er würde einen letzten Versuch wagen und bei ihr anklopfen.

2012

HELGI

Laut Online-Adressverzeichnis wohnte Tinna in einem hübschen Reihenhaus in Árbær. Das zweistöckige Haus war weiß gestrichen und wirkte gepflegt, im Garten standen Bäume, und die Gegend wirkte alt und gediegen.

Helgi ging zur Tür und klingelte. Auf beiden Etagen war Licht in den Fenstern, es war also jemand zu Hause.

Er wartete geduldig, bis sich endlich etwas rührte.

Ein Mann um die sechzig öffnete die Tür. Helgi hatte ganz vergessen, sich die Namen an Klingel oder Briefschlitz anzusehen und sich zu vergewissern, dass Tinna auch wirklich hier wohnte. Jetzt verdeckte der Mann die Sicht darauf.

»Guten Tag«, sagte er skeptisch. Offenbar hatte er nicht mit Besuch gerechnet. Dass er um diese Tageszeit zu Hause war, deutete darauf hin, dass er bereits Rentner war. Aber er wirkte noch sehr fit.

»Ja, hallo, Helgi Reykdal ist mein Name.«

Der Mann nickte und nuschelte etwas vor sich hin. Er sah Helgi mit stechendem Blick an und wartete. Helgi fühlte sich, als wäre er in ein Gespräch geraten, ohne zu wissen, worum es ging und mit wem er sprach.

»Ich würde gern mit Tinna sprechen. Ist sie wohl zu Hause?«, fragte Helgi so freundlich wie möglich. So wie der Hausherr auftrat, hielt er das für taktisch klug.

»Sie ist zu Hause, aber sie will nicht mit Ihnen reden.«

Helgi stutzte.

»Bitte, wie meinen Sie das … warum …?«

»Sie haben doch vor einigen Tagen angerufen.«

Helgi nickte.

»Soweit ich weiß, hat sie Ihnen eindeutig zu verstehen gegeben, dass sie nicht mit Ihnen reden will.«

Helgi fühlte sich wie ein Schulbengel, der etwas angestellt hatte und nun im Büro des Direktors stand. Er wusste nicht, was er sagen sollte.

Und die Zornesrede war noch nicht zu Ende: »Es wäre schön, wenn Sie uns in Ruhe lassen würden, Helgi. Meine Frau hat Ihnen nichts über die damaligen Ereignisse zu sagen. Ich verstehe nicht, warum Sie die Leute dermaßen belästigen. Das ist dreißig Jahre her und endlich in Vergessenheit geraten. Niemand will sich an so schreckliche Ereignisse zurückerinnern.«

»Entschuldigen Sie, die Sache ist … Ich schreibe eine wissenschaftliche Arbeit über dieses Thema. Ich wollte einfach nur mit den Menschen sprechen, die das damals miterlebt haben, und versuchen, das alles besser zu verstehen.«

»Aber Sie müssen es auch akzeptieren, wenn diese Leute nicht mit Ihnen sprechen wollen.«

»Ähm, ja, das tue ich … Ich wollte es nur noch einmal versuchen«, sagte Helgi. Er schämte sich, sein Ehrgeiz war mit ihm durchgegangen. Natürlich hätte er es nach dem Anruf bei Tinna gut sein lassen müssen, aber das kannte er schon von sich, manchmal verrannte er sich in Dinge, verlor sich in den Details und sah dann nicht mehr das Gesamtbild. »Entschuldigen Sie«, sagte er. »Bitte entschuldigen Sie meine Aufdringlichkeit.«

Diese Worte schienen den Hausherrn ein wenig zu besänftigen. Seine Gesichtsmuskeln entspannten sich, und der Anflug eines Lächelns kam zum Vorschein.

»Ist in Ordnung. Ich hoffe, wir haben ab jetzt unsere Ruhe. Und Ihnen viel Erfolg mit Ihrer Studienarbeit.«

»Danke.«

»Ich hoffe doch, Sie haben sich keine verrückten Pläne in den Kopf gesetzt und wollen den Fall wieder aufrollen oder dergleichen?« Jetzt klang er wieder scharf.

»Nein, nicht direkt. Nein, nein, das habe ich nicht vor …«, antwortete Helgi zögerlich.

»Der Fall ist abgeschlossen, alles war klipp und klar, es gab keine Zweifel, was das Ergebnis der Ermittlungen anging«, sagte der Mann entschieden. »Keine Zweifel.«

Diese Darstellung und die Vehemenz, mit der sie vorgebracht wurde, überraschten Helgi. Als wäre es diesem Mann aus irgendeinem Grund wichtig, dass die alten Geister ruhten. Wieder regte sich das Gefühl in ihm, dass genau das Gegenteil richtig war, dass er tiefer graben musste.

»Das denke ich auch«, sagte er widerstrebend, denn er wollte im Moment nicht noch mehr Staub aufwirbeln.

Der Mann nickte, als hätten sie schwierige Verhandlungen hinter sich, aus denen er erfolgreich hervorgegangen war. Er schloss die Tür und ließ einen unschlüssigen Helgi auf der Treppe zurück.

Die Begegnung mit dem Mann beschäftigte ihn so sehr, dass er beinahe vergaß, einen Blick auf das Klingelschild zu werfen. Schon im Gehen drehte er sich noch einmal um.

Sverrir Eggertsson und Tinna Einarsdóttir

Es dauerte einen Moment, bis er begriff.

Sverrir Eggertsson, der Kommissar, der die Ermittlungen damals in Akureyri geleitet hatte.

Hatte er etwa eine Frau geheiratet, die seinerzeit unter Verdacht stand?

Er hatte darauf gepocht, dass der Fall abgeschlossen sei, dass es keinen Grund gebe, sich weiter damit zu befassen.

Wollte er dadurch etwa seine Ermittlungen rechtfertigen? Womöglich sogar Fehler vertuschen?

Oder … gab es noch andere, verdächtigere Gründe für sein Verhalten? Wollte er Tinna in Schutz nehmen?

2012

TINNA

Tinna wälzte sich im Bett hin und her und öffnete die Augen. Längst vergangene, unangenehme Erinnerungen aus ihrer Zeit in Akureyri hatten sie im Schlaf wieder einmal eingeholt. Daher war es wohl Glück im Unglück, dass sie mitten in der Nacht aufgewacht war, obwohl sie danach oft Schwierigkeiten hatte, wieder einzuschlafen. Immerhin fühlte sie sich wohl in ihrem Reihenhaus in Árbær. Seit knapp zwanzig Jahren wohnten sie und Sverrir hier, hatten ein Kind großgezogen, das inzwischen im Ausland lebte, und sie würden auch weiter hier wohnen bleiben, auf jeden Fall solange sie arbeitete, vielleicht auch länger. In diesem Haus herrschte ein guter Geist, nichts erinnerte an die Ereignisse, durch die sich ihre Wege gekreuzt hatten – was aber auch das einzig Positive daran gewesen war. Oft vergingen sogar mehrere Tage, ohne dass sie an damals denken musste. Doch jetzt zwängte sich die Zeit am alten Tuberkulosesanatorium wieder in ihr Bewusstsein, dank dieses Typen, der sie mit seiner verfluchten Uni-Arbeit nicht in Frieden ließ.

Doch, hier ging es ihr gut. Nur wenn Sverrir weg war, wenn er nicht neben ihr schlief, dann bekam sie manchmal Angst vor Dingen, die gar nicht da waren; wie bei einem kleinen Kind. Dann fiel ihr der merkwürdige Anruf wieder ein und der heimliche Beobachter, der vor dreißig Jahren in ihr Badezimmerfenster gestarrt hatte. Die Erinnerung daran war noch ganz lebendig, sie konnte sich in nahezu jeden einzelnen Moment zurückversetzen. Als hätte die Angst das Erleben verstärkt und ihr diese Erfahrung in Sinne und Seele gebrannt. Es waren die schlimmsten Momente ihres Lebens gewesen, und dann war auf einmal Sverrir da gewesen, der ihr Sicherheit gegeben hatte und später ihre Rechtfertigung dafür gewesen war, dass sie ihre Wurzeln kappte und nach Reykjavík zog. Nach der ersten gemeinsamen Nacht in ihrer Wohnung war ihr diese Entscheidung leichtgefallen.

Die beiden unheimlichen Begebenheiten in Akureyri hatten sie nie ganz losgelassen, obwohl es danach keine weiteren derartigen Zwischenfälle mehr gegeben hatte. Das war schlagartig vorbei gewesen, als sie und Sverrir ein Paar wurden. Manchmal, vor allem nachts, wenn das Unterbewusstsein ihre Gedanken lenkte, überlegte sie, ob vielleicht Sverrir mit den Ereignissen zu tun gehabt hatte. Hatte er sie damals beobachtet? In ihr Fenster gespäht, sie vom Sanatorium aus angerufen? War sie ihm womöglich in die Falle gegangen?

Manchmal hatte sie immer noch das Gefühl, dass sie beobachtet wurde.

Warum sie jetzt aufgewacht war, wusste sie nicht, vielleicht einfach nur, weil Sverrir nicht da war – oder hatte sie ein Geräusch gehört? Irgendwie kam es ihr so vor, aber ganz sicher war sie sich nicht. Sie setzte sich auf und lauschte.

Vor einem Jahr hatte Sverrir bei der Polizei aufgehört, und um die Rente aufzubessern, arbeitete er hin und wieder als Nachtwächter. Er war in bester Form, und durch die Nachtschichten plus Rente erzielte er ein sehr gutes Einkommen. Nur mit dem nächtlichen Alleinsein tat Tinna sich schwer; wenn Sverrir weg war, schlief sie schlecht.

Es war vollkommen still im Haus, und trotzdem fühlte sie sich unwohl. Auf einmal war sie wieder in ihrer Wohnung in Akureyri, allein und schutzlos. Das war dasselbe Gefühl wie damals vor dreißig Jahren, eine tiefsitzende Furcht. Sie fühlte sich beobachtet, als ob jemand im Haus wäre, was natürlich nicht sein konnte. Sie war im Schlafzimmer in der obersten Etage. Niemand konnte durchs Fenster gucken, niemand sie sehen.

Plötzlich wusste sie wieder, was sie geweckt, was sich in ihren Traum oder vielmehr Albtraum geschlichen hatte: das vertraute Geräusch der Haustür, wenn sie mit dem Schlüssel geöffnet wurde. Was eigentlich nicht sein konnte, denn Sverrir war bei der Arbeit. Oder etwa nicht? Da fiel ihr ein, dass sie vor zwei Tagen ihren Schlüssel verloren hatte. Wahrscheinlich wieder verlegt. Das kam oft vor. Er lag ganz sicher irgendwo im Haus, sie hatte nur vergessen wo.

Sie war allein im Haus. Oder war Sverrir aus irgendeinem Grund früher zurückgekommen und wollte sie nicht wecken? Vielleicht saß er in der Küche und aß in aller Ruhe. Bei dem Gedanken musste sie lächeln. Sie wollte schon nach ihm rufen, doch dann hielt sie inne. Versuchte sich einzureden, dass die Fantasie mit ihr durchgegangen war, dass nicht das Geräusch der Haustür sie geweckt hatte, sondern sie nur zufällig aufgewacht war und sie sich am besten wieder hinlegte, die Augen schloss und wartete, dass die Nacht verging. Zumal sie diese Woche mit einer Grippe gekämpft und den Schlaf nötig hatte.

Noch einmal lauschte sie nach Geräuschen, doch außer dem Rauschen der Heizung war nichts zu hören. Nur das mit dem Schlüssel ließ ihr keine Ruhe. Was, wenn ihn doch jemand gestohlen hatte? Konnte sie sich wehren, falls ihr jemand etwas antun wollte?

Sie versuchte, diesen Gedanken weit von sich zu schieben. Sie war hier sicher, in ihrem Haus am Reykjavíker Stadtrand. Und natürlich war kein Fremder im Haus.

Sie dachte an das Parkett auf dem Treppenabsatz, das sich gelockert hatte und immer so knarzte. Schon lange drängte sie Sverrir, die losen Stäbe aufzunehmen und anständig zu befestigen, aber wie so oft gingen diese kleinen Dinge im Alltag unter. Seit er in Rente war, schien er noch weniger Zeit als früher zu haben, er spielte leidenschaftlich Golf, traf Freunde und ehemalige Kollegen, hatte den Nachtwächterjob angenommen und auch noch angefangen, Gitarre zu lernen. Der Gute hatte sich um dreißig Jahre verjüngt – zumindest im Geiste.

Jetzt war sie froh über das lose Parkett, denn dadurch konnte sich niemand unbemerkt dem Schlafzimmer nähern.

Bei dem Gedanken atmete sie ruhiger.

Endlich konnte sie sich etwas entspannen.

Sie sank in ihr Kissen und zog sich die Decke bis zum Hals, um die Gänsehaut loszuwerden.

Dass ihr auch mitten in der Nacht so verrückte Gedanken kamen …

Jetzt musste sie so schnell wie möglich wieder einschlafen, denn morgen früh wollte sie zur Arbeit gehen, sie fühlte sich wieder fit genug.

Sie griff nach ihrem Handy auf dem Nachttisch und warf einen Blick auf die Uhr: noch keine zwei. Vor anderthalb Stunden war Sverrir zur Arbeit gegangen. Um diese Zeit wachte sie sonst nie auf. Vielleicht war es draußen laut gewesen, vielleicht waren ausgelassene Nachbarn von irgendwelchen Vergnügungen nach Hause gekommen, obwohl die Straße normalerweise ausgenommen ruhig war.

Sollte sie Sverrir anrufen, ihn nur mal kurz hören?

Nein, es gab keinen Grund dazu, und außerdem wäre sie dann erst recht wach und konnte dann noch schlechter einschlafen.

Der Akku war fast leer. Sie stand auf und schloss das Handy ans Ladegerät an. Dann kroch sie schnell wieder unter die warme Decke.

Alles war ruhig, und sie entspannte sich, freute sich auf den bevorstehenden Arbeitstag – und auf Sverrir beim Frühstück. Wenn er von seinen Nachtschichten nach Hause kam, briet er meist Eier mit Speck für sie beide, und es gab heißen Kaffee und Orangensaft – ein köstliches Frühstück.

Tinna kuschelte sich gemütlich ein und schloss die Augen.

In diesem Moment knarzte das Treppenpodest.

Das vertraute Geräusch ging ihr durch Mark und Bein, ihr ganzer Körper verkrampfte sich, ihre Gedanken spielten verrückt, sie konnte sich nicht rühren, ihr Herz raste und der Schweiß brach ihr aus. Mit weit aufgerissenen Augen spähte sie in die Dunkelheit. Sollte sie aufspringen und die Tür schließen? Aber da man sie nicht abschließen konnte, nützte das wohl nichts. Sollte sie zum Telefon rennen? Blieb ihr noch die Zeit, wenigstens für eines von beidem? Die Gedanken wirbelten durch ihren Kopf, und die Sekunden fühlten sich wie Minuten an.

Das musste Sverrir sein. Alles andere war ausgeschlossen. Aus irgendeinem Grund war er früher nach Hause gekommen, vielleicht hatte er sich im Tag geirrt und musste diese Nacht gar nicht arbeiten. Vielleicht hatte er sich auch bei ihr angesteckt, hatte sich auch die Grippe eingefangen und war nun zurückgekommen. Ja, das musste es sein. Natürlich. Er war ihr den Tag über auch schon ein wenig schlapp vorgekommen, der Arme.

Dieser Gedanke beruhigte sie ein wenig, und sie rief: »Sverrir? Sverrir? Bist du zurück?« Sie merkte, wie ihre Stimme zitterte. »Schatz, bist du zurück?«

Keine Antwort.

Warum antwortete er nicht?

Das Blut gefror in ihren Adern. Sie wollte noch einmal nach Sverrir rufen, doch sie kriegte keinen Ton heraus. Jemand war auf der Treppe, und offenbar war dieser Jemand nicht Sverrir. Sie war ohnmächtig vor Angst, die Erinnerungen an den Mann am Fenster stürzten auf sie ein. Diesmal war sie wirklich schutzlos, nur noch wenige Schritte trennten sie voneinander.

Sie lag stocksteif unter der Decke und wartete, was kommen mochte.

Dann schwang die Schlafzimmertür auf …

2012

HELGI

Zu Hause hatte sich alles wieder beruhigt. Helgi und Bergþóra hatten miteinander gesprochen und waren sich einig, dass sie die Probleme angehen und ihre Beziehung stärken wollten. Insgeheim war er sich nicht sicher, ob es für sie eine gemeinsame Zukunft gab, aber das war nichts, über das er sich heute den Kopf zerbrechen musste. Jetzt musste er sich voll und ganz auf seine Abschlussarbeit konzentrieren, das Studium zu Ende bringen und sich um seinen Einstieg bei der Polizei kümmern. Mittlerweile hatte er sich mit dem Polizei-Job angefreundet, zumindest einigermaßen.

Sie hatten zusammen gefrühstückt, Haferbrei, wie jeden Werktag. Er selbst war zwar kein großer Brei-Fan, aber Bergþóra war damit aufgewachsen und wollte diese Tradition fortführen. Das hatte sie so entschieden, überhaupt traf sie die meisten Entscheidungen, fand Helgi. Was schon in Ordnung war, solange er bei den wirklich wichtigen Dingen mitreden konnte.

Sie hatten sich auf der Hochzeit eines gemeinsamen Freundes kennengelernt. Irgendetwas an ihr hatte ihn sofort fasziniert, ihr mehrdeutiges Lächeln, der fernschweifende Blick. Sie war blitzgescheit, das hatte er sofort gesehen, und ganze Abende und Nächte vergingen wie im Flug mit Gesprächen über Gott und die Welt. Am Anfang war alles so gut gelaufen, er hatte sich Hals über Kopf in sie verliebt. Und war es im Grunde immer noch, trotz allem. Sie wusste, was sie wollte, und bestand auf feste Regeln, was er zu einem gewissen Grad auch schätzte.

Jetzt saß er allein am Küchentisch, hatte das Radio eingeschaltet, auf Rás 1 kamen bald die Mittagsnachrichten. Den Vormittag über hatte er geschrieben und war ganz gut vorangekommen. Vielleicht hatte er diesen Motivationsschub seinem schlechten Gewissen wegen des Besuchs bei Tinna zu verdanken.

Zum Mittag gab es köstlichen Skýr. Bergþóra war von Milchprodukten zwar nicht so angetan, aber wenn sie nicht zu Hause war, erlaubte er sich diesen Genuss.

Nach dem Essen wollte er eine Weile lesen, die Ruhe genießen. Er hatte auch schon ein Buch ins Auge gefasst, das er lange nicht mehr gelesen hatte, zuletzt wahrscheinlich mit vierzehn oder fünfzehn, ein abgewetztes Taschenbuch, die einzige Übersetzung eines Romans der neuseeländischen Krimikönigin Ngaio Marsh, *Ein Schuss im Theater*. Auch dieses Buch war mit schönen Erinnerungen verbunden, die letzten Kapitel hatte er bei einer Shoppingtour mit seiner Mutter im Norden gelesen. Die Geschäfte interessierten ihn nicht, er hatte sich eine Bank gesucht und war in den rätselhaften Mord in der Theaterwelt abgetaucht. Später hatte er noch viele weitere Bücher von Marsh gelesen, wahrscheinlich den Großteil ihres Gesamtwerks, aber dieses erste hatte er seitdem nicht mehr in die Hand genommen und daher viele Details bereits vergessen. Vielleicht war es an der Zeit, sich nicht nur in das Rätsel, sondern auch in die damalige Zeit zu flüchten, wo alles viel einfacher gewesen war. Jetzt war nichts mehr einfach. Diese verdammten Entscheidungen, die ihn wie Albträume belasteten und die, wenn er ehrlich war, gar nicht seine eigenen Entscheidungen waren. Er würde durchhalten, weil Bergþóra das wollte. Er nahm den Job bei der Polizei an, weil sie das wollte. Er selbst hatte nichts zu melden, selbst wenn er sich das manchmal vormachte. Einige wenige Bereiche gab es, die er unter Kontrolle hatte. Die Arbeit lag ihm, er war ein guter Polizist, oder wenigstens talentiert, der Job passte zu ihm, und er freute sich auf neue Herausforderungen. Die Polizei war seine Welt, in der Bergþóra nichts zu sagen hatte. Und seine Bücher, auch die waren seine Zuflucht. Dasselbe galt in gewisser Weise auch für die Abschlussarbeit, auch wenn er diesbezüglich nicht immer dieselbe Motivation aufbrachte. Mitunter langweilte ihn das Schreiben tierisch, manchmal wiederum fesselte ihn der alte Fall. Nervig war nur, dass er nicht das Gesamtbild sah, dass er das Gefühl hatte, dass ein Puzzleteil fehlte.

Shit, aber dann war es halt so.

Der Skýr schmeckte jedenfalls.

Das letzte Lied vor den Nachrichten setzte ein. Ein Männerchor sang, und die Klänge erinnerten Helgi an früher, an die Mittagessen seiner Kindheit. Alle saßen zusammen am Tisch und lauschten den Nachrichten, auf dem Tisch standen süßes Roggenbrot und Skýr, und es gab Molke zu trinken. Früher hatte ihn diese immer gleiche Routine manchmal genervt, aber jetzt stand sie für Sicherheit und Verlässlichkeit. Es war ihm bewusst, dass er sich an etwas unwiederbringlich Vergangenes klammerte, wenn er mittags Radio hörte, Skýr aß und die alten Bücher las. Das alles war derselben Sehnsucht geschuldet: der Sehnsucht nach einem Gefühl von Sicherheit und Gewissheit in einer Welt, die heute alles andere als sicher war, in einem Zuhause, in dem es nie so friedlich war wie in seinem Elternhaus. Möglicherweise würde er insgeheim doch lieber in einem Buchladen arbeiten als Polizist zu spielen, auch wenn er darin ziemlich gut war.

»Eine Frau in den Fünfzigern wurde heute Morgen tot in ihrem Haus in Árbær aufgefunden. Die Polizei verweigert jegliche Auskunft, aber den Quellen der Nachrichtenagentur zufolge wird der Fall als möglicher Mord untersucht.«

Diese erste Nachricht löste etwas in Helgi aus. Zunächst natürlich die normale Bestürzung, die eine solche Nachricht weckte, aber unterbewusst regte sich auch der Polizist in ihm. Ein Mordfall in Reykjavík. So etwas kam nicht jeden Tag vor. Dann erst sickerten die ersten Worte des Nachrichtensprechers zu ihm durch.

Eine Frau in den Fünfzigern.

Árbær.

Verdammt.

Das konnte nicht sein.

Das musste ein Zufall sein.

Er wollte sie sofort anrufen, um sicherzugehen, doch dann zögerte er. Ihr Mann hatte gestern eine klare Ansage gemacht.

Helgi sprang vom Tisch auf und warf in der Aufregung beinahe den Skýr um. Er holte seinen Laptop und ging die großen Nachrichtenseiten durch, doch er fand keine weiteren Details oder Bilder zu dem Todesfall, sondern nur dieselben Infos wie im Radio. Eines musste man den Medien lassen: In solchen Fällen waren sie wirklich pietätvoll.

Er spielte mit dem Gedanken, seinen zukünftigen Vorgesetzten Magnús anzurufen oder direkt auf dem Kommissariat vorbeizuschauen, um vielleicht dort nähere Informationen einzuholen, doch er traute sich nicht. Die Wahrscheinlichkeit, dass es sich wirklich um Tinna handelte, war verschwindend gering, und er wollte sich an seinem neuen Arbeitsplatz nicht schon im Vorfeld lächerlich machen.

Kurz überlegte er auch, ob er Bergþóra anrufen sollte. Aber die steckte überhaupt nicht im Thema und interessierte sich auch nicht groß für Kriminologie. Sie spornte ihn lediglich an, das Studium so schnell wie möglich abzuschließen. Für gewöhnlich telefonierten sie auch während der Arbeitszeit nicht miteinander. Wenn, dann musste es schon ein Notfall sein, und ein solcher war das hier mit Sicherheit nicht.

Die restlichen Nachrichten hörte er nur noch mit halbem Ohr, und er hatte auch keinen Hunger mehr. Er hatte noch nicht einmal Lust zu lesen, was wirklich mehr als ungewöhnlich war. Am besten versuchte er, mit dem Aufsatz weiterzukommen.

2012

HULDA

An diesem Morgen lagen einige Fälle auf Huldas Tisch, aber nichts Drängendes. In den letzten Wochen und Monaten hatte sie das Gefühl, dass Magnús sie vor allen komplizierteren Aufgaben verschonte. Wobei *verschonen* sicher nicht das richtige Wort war. Sie hatte vielmehr das Gefühl, dass solche Aufgaben richtiggehend von ihr ferngehalten wurden. Das war nicht immer so gewesen, auch wenn ihre gesamte Laufbahn in dieser reinen Männerorganisation ein einziger Kampf gewesen war. Früher hatte man ihr immerhin große Fälle anvertraut, die größten sogar, auch wenn sie nie die Anerkennung erfahren hatte, die sie für ihre meist erfolgreiche Arbeit unter schwierigen Umständen verdient hätte. Dies war ihr letztes Jahr vor der Rente, wahrscheinlich lag Magnús' Desinteresse an ihr auch darin begründet. Wobei sich ihr Status schon drastisch verschlechtert hatte, seit Magnús ihr Chef geworden war. Der letzte in einer langen Reihe von Männern, die fast alle über weniger Talent verfügten als sie. Das war zumindest ihre Meinung.

Obwohl sie nicht zum Männerclub gehörte und selten die Erste war, die vom neusten Klatsch und Tratsch im Kollegium erfuhr, hatte sie bereits gehört, dass die Ehefrau eines ehemaligen Kollegen ermordet worden war.

Alle Details erfuhr sie nicht, aber sie bekam mit, dass Sverrir, der kürzlich in den Ruhestand gegangen war, von seinen ehemaligen Kollegen befragt wurde. Und der Stimmung auf dem Kommissariat nach zu urteilen kam er als Täter in Betracht. Eine unangenehme Situation, die fürs Erste mit Sicherheit nicht an die große Glocke gehängt würde. Man hoffte natürlich, dass er nichts damit zu tun hatte, dass er so schnell wie möglich von der Liste der Tatverdächtigen gestrichen werden konnte. Hulda kannte Sverrir ziemlich gut, hatte mehrfach mit ihm zusammengearbeitet, aber nicht gerade eine innige Beziehung zu ihm aufgebaut. Er hatte natürlich viele Freunde unter den Kollegen von der Kriminalpolizei, daher würde es schwierig werden, jemand Neutrales für sein Verhör zu finden.

Auch das Mordopfer kannte Hulda. Sie erinnerte sich gut an Tinna aus Akureyri, von einem der unangenehmsten Fälle, mit denen sie je zu tun gehabt hatte. Ein Fall, der wahrscheinlich immer noch als ungelöst verzeichnet wäre, wenn sie damals hätte entscheiden können. Vielleicht hätte sie ihn sogar gelöst, wenn Sverrir sie nicht daran gehindert hätte. Er hatte nach der einfachsten Lösung gegriffen, die sich ihm bot, und kurz nachdem die Ermittlungen eingestellt waren, hatte man ihn mit Tinna gesehen. Das war Hulda schon immer merkwürdig vorgekommen, geradezu unprofessionell, aber die anderen Kollegen wollten keine große Sache daraus machen. Sagten, die Liebe könne unter den verrücktesten Umständen erwachen. Zumal der Fall ja offiziell abgeschlossen war und man Tinna nichts hatte anlasten können.

Hulda hatte Tinna in den vergangenen Jahren und Jahrzehnten hin und wieder gesehen, bei Feiern im Kollegium, an denen Hulda nach dem Tod ihres Mannes aber immer seltener teilgenommen hatte. Tinna war schon immer eine elegante Frau gewesen, war attraktiv gealtert, und sie und Sverrir schienen gut zueinander zu passen. Bei der Arbeit konnte Sverrir zwar schroff und frech sein, vor allem Hulda gegenüber, aber sie hatte das Gefühl, dass er im Herzen trotzdem ein guter Mensch und ein guter Ehemann war. Sollte er letzte Nacht beschlossen haben, nach dreißig Jahren Ehe seine Frau zu töten?

Der Gedanke war abwegig, aber sie hatte während ihrer Jahre bei der Polizei gelernt, dass man keine Möglichkeit ausschließen durfte. Wenn also doch er es gewesen war, gab es dann eine Verbindung zu dem alten Sanatoriums-Fall …?

Sie saß an ihrem Schreibtisch, starrte auf die Papierstapel und dachte nach, wanderte in Gedanken drei Jahrzehnte zurück.

Niemand hatte sich an diesem Morgen an sie gewandt,

noch nicht einmal, um Rat einzuholen, geschweige denn, um sie zu bitten, an den Ermittlungen teilzunehmen. Diese Zeiten waren vorbei, obwohl sie nach wie vor der Meinung war, dass sie zu den besten Ermittlern im Team gehörte. Ihr Alter tat dem keinen Abbruch, oder nur in geringem Maße. Vielleicht hatte sie nicht immer alle neusten Ermittlungsmethoden sofort parat, aber sie verstand sich nach wie vor bestens darauf, die Spreu vom Weizen zu trennen und die Wahrheit ans Licht zu bringen.

Selbst wenn ihre Vorgesetzten nicht mehr mit größeren Fällen zu ihr kamen, bedeutete das trotzdem nicht, dass sie das Handtuch warf. Noch nicht. Sie stand auf und lief entschlossenen Schrittes den Flur hinunter, auf Magnús' Büro zu.

Sie klopfte an die Glasscheibe. Irritiert blickte er von seinem Computer auf. Aber nur kurz, dann konzentrierte er sich wieder auf seine Arbeit, als wäre sie Luft. Erst nach einer Weile gab er ihr ein Zeichen, hereinzukommen. Sie öffnete die Glastür und betrat das Büro, das deutlich größer war als ihres. Das Büro des Abteilungsleiters, in dem sie so gern selbst einmal gesessen hätte. Doch das würde für immer ein Traum bleiben.

»Magnús«, sagte sie freundlich.

»Was ist? Ich habe nur wenig Zeit«, sagte er, ohne den Blick vom Bildschirm zu lösen.

»Es geht um Sverrir …«

»Ja?«, sagte er.

»Sverrir und Tinna, die Frau, die ermordet wurde …«

Endlich sah er Hulda in die Augen – um ihr direkt ins Wort zu fallen. »Ich bin darüber im Bilde, Hulda.«

»Ich habe hin und wieder mit ihm zusammengearbeitet, unter anderem, als er Tinna in Akureyri kennenlernte. Daher habe ich überlegt, ob ich bei den Ermittlungen helfen kann, mich um …«

Magnús sah sie an, als redete sie völligen Unsinn.

Nach einem kurzen Schweigen sagte er: »Das ist nicht nötig. Es arbeiten genügend Leute an diesem Fall. Trotzdem danke.«

Damit wandte er sich wieder seinem Computer zu – Gespräch beendet.

2012

HELGI

Was den Todesfall in Árbær anging, waren den Tag über
so gut wie keine neuen Informationen publik geworden.
Aus irgendeinem Grund schien die Polizei jegliche Auskunft zu verweigern.

Mit der Abschlussarbeit war Helgi gut vorangekommen
und hatte einige Punkte abhaken können, obwohl seine
Gedanken immer wieder zu Tinna wanderten. Er versuchte sich einzureden, dass die Fantasie mit ihm durchging, dass mit Tinna natürlich alles in Ordnung war. Es
überraschte ihn selbst, dass er sich solche Sorgen um diese
Frau machte, die er nie gesehen hatte. Und aus irgendeinem Grund hatte er ein schlechtes Gewissen. Falls ihr
doch etwas zugestoßen sein sollte – trug möglicherweise
er eine gewisse Schuld daran? Hatte er zu tief gegraben?
Gab es Geheimnisse, die nicht ans Licht kommen durften?

Er blickte auf die Notizen, die er sich während des Ge-
sprächs mit Elísabet gemacht hatte. Ein Schatten hatte auf

ihr gelegen, als hätte sie kein glückliches Leben gehabt und irrte in einer Art Nebel umher. Außerdem hatte er das Gefühl, dass sie ihm nicht die ganze Wahrheit gesagt hatte. Aber wie konnte er auch erwarten, dass die Menschen sich einem Fremden gegenüber komplett öffneten?

Er nahm sein Handy und wählte ihre Nummer. Mit irgendwem musste er reden. Er würde nicht versuchen, Tinna zu erreichen, und hatte auch kein Verlangen nach einem Gespräch mit Broddi. Broddi war ihm fast zu redselig mit seinen ganzen bedrückenden Geschichten. Und mit Þorri würde er auch nur sprechen, wenn es unbedingt sein musste. Ein eigenartiger Mann und wirklich kein gewinnender Typ.

»Ja? Hallo?« Obwohl ihre Stimme freundlich klang, hörte Helgi eine leichte Unsicherheit bei Elísabet heraus.

»Hallo, Elísabet. Hier ist Helgi Reykdal. Darf ich Sie kurz stören?«

»Bitte? Ja, natürlich, kein Problem.«

»Ich bin in den letzten Zügen meiner Abschlussarbeit und würde gern noch mal einige der Informationen gegenchecken, die ich von Ihnen und den anderen erhalten habe.«

»Haben Sie mit allen gesprochen?«, fragte sie.

»Ja, ich denke schon.«

»Auch mit Þorri?«, hakte sie nach. Die Frage überraschte ihn. Bei ihrem letzten Gespräch war deutlich geworden, dass sie Þorri nicht besonders mochte.

»Ja, ich habe ihn in seiner Praxis getroffen.«

»Aha, hier in der Stadt. Er scheint ja recht erfolgreich zu sein«, sagte sie mit schwerer Stimme.

»Ihre Zusammenarbeit damals lief nicht so rund?«

Sie zögerte.

»Nein, wir kamen einfach nicht so gut miteinander aus.«

»Gab es etwas an seinen Arbeitsweisen auszusetzen?«, fragte Helgi ins Blaue hinein. Dieser Arzt kam ihm nicht ganz geheuer vor.

Wieder zögerte sie.

»Nein, nein, er war ein guter Arzt. Das war … ja, eher auf persönlicher Ebene.«

Helgi überlegte, ob er weiter nachbohren sollte, und entschied sich, seiner Neugier zu folgen. Obwohl es unwahrscheinlich war, dass solche Details für seine Arbeit relevant waren.

»Verstehe«, sagte er langsam. »Gab es denn einen konkreten Grund dafür?«

Elísabet schwieg eine Weile, dann sagte sie: »Nein, nur etwas Persönliches, wie gesagt.« Dann fügte sie hinzu: »Man könnte sagen, ein Liebesabenteuer, aus dem nichts wurde.«

Ihre Ehrlichkeit überraschte Helgi. War sie nicht verheiratet gewesen und hatte erst kürzlich ihren Mann verloren?

»Das bleibt aber bitte unter uns«, sagte sie schnell. »Es wurde nie etwas daraus. Das fließt nicht in Ihren Aufsatz ein, nicht wahr?«

»Nein, nein, natürlich nicht.«

»Haben Sie auch mit Tinna gesprochen?«, fragte sie dann, wollte sich offenbar nicht weiter zu Þorri äußern.

»Ja, kurz. Am Telefon. Getroffen habe ich sie nicht. Ich hatte den Eindruck, sie wollte nicht mit mir reden.«

»Dann haben Sie sicher festgestellt, dass sie Sverrir geheiratet hat. Den Kommissar.«

»Ja, dem bin ich sogar begegnet. Er hat mich nicht gerade freundlich empfangen«, antwortete Helgi.

»Eigentlich wollte ich Ihnen das schon bei unserem letzten Treffen sagen, aber man will ja nicht tratschen. Das hat uns seinerzeit alle sehr überrascht. Schon eigenartig, finden Sie nicht? Er hat einen, später sogar zwei Morde untersucht, in die Tinna involviert war, bei denen sie sogar unter Verdacht stand. Das ist nicht gerade professionell, oder?« Es schwang Empörung in ihrer Stimme mit. Trotz ihrer gegenteiligen Beteuerungen schien Elísabet Freude am Tratschen zu haben.

»Auf jeden Fall ungewöhnlich.«

»Ich glaube, das hat sich schon angebahnt, als die Ermittlungen noch liefen. So hieß es wenigstens. Dass es während seines Aufenthalts in Akureyri bereits die ersten Verabredungen gab. Sie ist dann auch bald abgehauen, zu ihm nach Reykjavík gezogen.«

»Glauben Sie denn, es steckte noch mehr dahinter als nur … als nur eine Liebesbeziehung?«, fragte Helgi.

»Wie meinen Sie das?«

»Tja, glauben Sie, dass er sie in irgendeiner Weise schützen wollte?«

»Natürlich kam einem dieser Gedanke«, antwortete Elísabet in scharfem Ton. »Was weiß man schon? Nicht, dass ich behaupten würde, Tinna hatte mit den Morden zu tun. Das kann man sich kaum vorstellen …«

»Nein, nein«, bekräftigte Helgi und wartete darauf, dass Elísabet weitersprach.

»Aber … aber man darf auch nicht vergessen, dass sie beide Leichen gefunden hat.« Dieser Gedanke schien ihr nicht zum ersten Mal zu kommen. »Beide Leichen! Das ist schon sehr merkwürdig, oder?«

»Den Akten habe ich entnommen, dass sie morgens immer als Erste im alten Sanatorium eintraf, daher überrascht mich das nicht unbedingt.«

»In den Berichten, die Sverrir verfasst hat?«

»Ja, genau. War dem nicht so?«

»Ja, doch, wahrscheinlich. Sie war oft als Erste da, doch, doch.«

Helgi hatte den Eindruck, dass Elísabet ihre Bitterkeit an den ehemaligen Kollegen ausließ. Wegen der misslungenen Affäre mit Þorri sprach sie schlecht von ihm. Und möglicherweise beneidete sie Tinna, weil sie und Sverrir sich gefunden hatten, weil sie vom alten Sanatorium losgekommen war und sich woanders, an einem größeren Krankenhaus, etwas aufgebaut hatte. Vielleicht wollte sie Tinna deshalb mit den Morden in Verbindung bringen.

»Aber interessant ist das schon«, sagte Helgi. »Es ist natürlich nicht meine Aufgabe, den Fall inhaltlich zu untersuchen oder die Ermittlungsergebnisse in Frage zu stellen, aber trotzdem rückt das den Fall in ein interessantes Licht.«

»Das will ich meinen. Darf ich den Aufsatz beizeiten lesen? Und melden Sie sich unbedingt, wenn ich noch irgendwie helfen kann. Für einen Kaffee habe ich immer Zeit«, fügte sie hinzu. Am Wahrheitsgehalt dieser letzten Aussage zweifelte Helgi nicht.

Auch nach den Abendnachrichten auf beiden staatlichen Fernsehsendern war Helgi nicht schlauer, was den Todesfall in Árbær anging. Gegen sechs hatten er und Bergþóra geschmacklich faden, gekochten Schellfisch gegessen, immer dieselbe Routine. Während des Essens hatten sie nur wenig miteinander gesprochen, abgesehen davon, dass Bergþóra ihn mal wieder gedrängt hatte, die Stelle bei der Polizei endlich offiziell anzunehmen.

»Das kann nicht ewig so weitergehen mit deinem Nichtstun, außerdem brauchen wir das Geld für unsere Haushaltskasse«, sagte sie und trank einen Schluck Wasser. Es gab immer Wasser zum Abendessen.

»Du kannst nicht nur von deinem Studiendarlehen leben, da sammeln sich immer mehr Schulden an.«

»Im Moment reicht es aber, Bergþóra.«

»Ja, schon, aber wir brauchen Geld, wenn wir nicht ewig mieten, sondern demnächst etwas kaufen wollen. Ich gucke immer wieder mal im Netz nach Wohnungen. Es gibt da einiges.«

»Ja, ich weiß nur nicht, ob das der richtige Zeitpunkt ist. Sollten wir nicht lieber noch ein wenig abwarten, bis die Preise etwas sinken? Nicht, dass uns der Kredit bei der nächsten Inflation um die Ohren fliegt«, wandte Helgi ein, trotz der Prophezeiung des Ökonomen, dass die Immobilienpreise weiter steigen würden. Er war einfach noch nicht bereit für diesen Schritt, nicht mit Bergþóra.

2012

ELÍSABET

Sie saß am Küchentisch und starrte auf ihr Handy. Hatte sie diesem Helgi zu viel gesagt? Es war einfach so schön gewesen, mit jemandem zu reden, und seine Stimme war so angenehm. Irgendwie hatte sie das Gefühl, dass sie ihm vertrauen konnte, dass er sie nicht reinlegen würde.

Sie hatte Þorri seit vielen Jahren nicht gesehen, nur ein paar Male aus der Ferne in Akureyri. Aber sie hatte stets verfolgt, was er machte. Seine Privatpraxis in Reykjavík schien hervorragend zu laufen, nach dem, was man in den offiziellen Rankings über sein Einkommen las.

Ihre Beziehung, wenn man das überhaupt so nennen konnte, war töricht und auch jäh zu Ende gewesen, aber trotzdem dachte sie noch daran. Nach irgendeiner Feierlichkeit unter den Kollegen hatte er sich an sie rangeschmissen, obwohl er genau wusste, dass sie verheiratet war. Wahrscheinlich wusste er, dass die Ehe nicht glücklich war. Das war zweifellos an niemandem vorbeigegangen, in einer so kleinen Gesellschaft sprach sich alles schnell herum. Trotzdem war sie all die Jahre bei ihrem Mann geblieben, zuerst wegen ihres Sohnes und dann aus alter Gewohnheit, weil sie nichts anderes kannte und nicht die Initiative ergreifen wollte. Man gewöhnte sich schließlich an alles. Die Freiheit kam erst, als ihr Mann starb. Sie hatte sofort alle Zelte abgebrochen und war nach Reykjavík gegangen, in eine neue Umgebung. Aber sie war nie so einsam gewesen wie jetzt.

An jenem ersten Abend hatte Elísabet Þorri abgewiesen, wollte ihren Mann nicht betrügen, obwohl sie Þorri anziehend fand. In den folgenden Tagen hatte sie an nichts anderes denken können. Eine Woche dauerte es, bis sie den Mut fasste, ihn anzusprechen, nachdem sie sich selbst davon überzeugt hatte, dass sie mental bereit war, sich von ihrem Mann zu trennen und ihn für Þorri zu verlassen.

Als sie ihm schließlich sagte, was sie fühlte, machte er sich über sie lustig.

»Hast du geglaubt, es wäre mir ernst gewesen?«, hatte er gefragt, lieblos und mit einem spöttischen Lächeln. Eiskalt.

Seitdem verabscheute sie ihn. Sie war mehr als froh gewesen, als er ans Krankenhaus Akureyri gegangen war, und sprach bei jeder Gelegenheit schlecht über ihn. Beobachtete ihn aus der Ferne. Hasste ihn.

Und genau aus diesem Grund war es womöglich ein Fehler gewesen, dass sie Helgi davon erzählt hatte. Jetzt hielt er sie sicher nicht mehr für objektiv. Sie hatte nämlich das Gefühl, dass Helgi doch mehr im Sinn hatte als lediglich seinen Aufsatz. Seinen Fragen nach zu urteilen verschaffte er sich ein komplett neues Bild von dem Fall. Daher wäre es wahrscheinlich besser gewesen, Þorri weiter schlechtzumachen, damit Helgi ihn ganz oben auf die Liste der Verdächtigen setzte.

2012

HELGI

Am folgenden Tag stand Tinnas Name in den Zeitungen.

Innerlich war Helgi auf diese Nachricht bereits gefasst gewesen, aber trotzdem war er erschrocken. In aller Herrgottsfrühe war er aufgestanden und hatte die Zeitungen geholt, um anschließend sofort Bergþóra zu wecken.

»Die ermordete Frau in Árbær ist die Frau, die ich wegen meiner Arbeit treffen wollte.«

Bergþóra blinzelte verschlafen, alles andere als erfreut darüber, dass er sie aus dem Schlaf riss. »Bitte? Ja und? Wie spät ist es eigentlich?«

»Halb sieben. Begreifst du nicht, was ich sage? Die Frau, die ermordet wurde, hat mit den Todesfällen im Norden zu tun. Vielleicht habe ich mit meinen Recherchen etwas losgetreten, vielleicht …« Er redete schnell, und auch sein Herz raste.

»Ich bin noch überhaupt nicht richtig wach, Schatz«, sagte Bergþóra. »Lass mich damit in Ruhe. Du hast noch nicht einmal bei der Polizei angefangen, obwohl ich dich täglich dazu dränge. Das ist also nichts, worüber du dir den Kopf zerbrechen musst. Außerdem wird es reiner Zufall sein.«

»Das kann kein Zufall sein, Bergþóra. Genau jetzt, wo ich …«

Sie schloss die Augen und drehte sich weg. »Ach, lass mich schlafen, Schatz …«

2012

HULDA

Hulda war fest entschlossen, sich von Magnús' Reaktion am Vortag nicht die Laune verderben zu lassen. Sie hatte noch einige andere Fälle auf dem Schreibtisch liegen, dann konzentrierte sie sich halt darauf. Um Sverrir würden sich andere kümmern. Trotzdem geisterten ihr die Todesfälle im alten Sanatorium im Kopf herum. Das alles war Jahrzehnte her und ihre Erinnerung auch schon etwas verblasst, aber vergessen konnte man so einen Fall nicht. Die arme Yrsa war gefoltert worden, zwei Finger hatte man ihr abgetrennt. Das Folterwerkzeug war nie gefunden worden.

Unwillkürlich machte sie sich ein paar Notizen, schrieb einige Namen auf.

An Broddi erinnerte sie sich noch gut. Sie hatte ihn nie richtig einschätzen können, hatte manchmal richtiggehend Angst vor ihm gehabt, und dann wiederum Mitleid. Irgendwie strahlte er eine undefinierbare Wehmut aus.

Sverrir hatte ihn eindeutig zu früh ins Gefängnis gesteckt, das war einer seiner vielen Fehler gewesen. Er hatte den Fall auch zu schnell abgeschlossen, als der tote Arzt gefunden wurde. Das war eine zu einfache Lösung, aber wie so oft hatte Hulda nichts zu sagen gehabt. War nicht in der Position gewesen, Sverrirs Entscheidung anzufechten.

Auch Tinna hatte sie natürlich einige Male gesehen. Das junge Mädchen, das beide Leichen entdeckt hatte. Das war schon ein merkwürdiger Zufall gewesen, für den es aber durchaus eine nachvollziehbare Erklärung gegeben hatte. Tatsächlich hatte es zwischen Sverrir und dem Mädchen bereits während der Ermittlungen gefunkt, das war auch Hulda nicht entgangen. Und doch war sie erstaunt gewesen, als die beiden kurz nach Abschluss der Ermittlungen ein Paar wurden. Aber sie hatte nie geargwöhnt, dass sich das Techtelmechtel zwischen den beiden auf die Ermittlungen ausgewirkt hatte. Hätte es Hinweise darauf gegeben, dass Tinna die Mörderin war, hätte Sverrir sie zweifellos verhaftet. Es war natürlich deutlich einfacher gewesen, Broddi festzunehmen, eine absolute Randfigur. Manchmal hatte sie den Eindruck gehabt, dass alle auf Broddis Schuld hofften, weil das die einfachste, angenehmste Lösung gewesen wäre.

Sie erinnerte sich auch an Friðjón, den Arzt, der vom Balkon gestürzt war. Ihr war vorher nie in den Sinn gekommen, dass er für Yrsas Tod verantwortlich sein könnte. Ein umgänglicher, besinnlicher älterer Mann, ein Arzt der alten Schule, ein alleinstehender Mensch, der die Bürde der Welt und ein langes Leben auf den Schultern zu tragen schien. Nach Friðjóns Tod hatte Sverrir den Fall abgeschlossen, und sie hatte nichts in der Hand, was darauf hindeutete, dass seine Entscheidung falsch war. Trotzdem: Wenn es nach ihr gegangen wäre, hätten sie den Fall damals nicht so schnell ad acta gelegt.

Wenn und *hätte* ... Es war doch immer dasselbe, wenn sie an ihre berufliche Laufbahn zurückdachte. Natürlich hatte auch sie ein paar große Ermittlungen leiten dürfen, aber es wäre einiges anders gelaufen, wenn man häufiger auf sie vertraut hätte.

Am alten Tuberkulosesanatorium hatte es noch eine weitere Frau gegeben, deren Name Hulda nicht einfiel, aber sie sah sie noch genau vor sich. Sie hatte distanziert und abweisend gewirkt, und Hulda hatte damals das Gefühl, dass sie nicht die ganze Wahrheit sagte, bewusst oder unbewusst. Aber als Mörderin, die ihrer Kollegin zwei Finger abgetrennt haben sollte, sah sie sie nicht, das war kaum vorstellbar. Allerdings war der ganze Fall abartig und unverständlich gewesen, und wie Hulda im Laufe der Jahre gelernt hatte, durfte man keine Möglichkeit von vornherein ausschließen.

Und dann war da noch Þorri, der andere Arzt. An ihn erinnerte sie sich gut, zumal er auch immer mal wieder in den Medien auftauchte, als Oberarzt im Krankenhaus Akureyri und später auch als Sprachrohr für den Privatsektor im Gesundheitswesen. Ein großer, attraktiver Mann, stark und körperlich in der Lage zu solchen Morden. Er kam durchaus als Täter in Frage, fand sie. Kühl und unsympathisch. Immer, wenn sie ihn sah, musste sie an die beiden Toten im Norden denken, und jedes Mal ging ihr dieselbe Frage durch den Kopf: War er möglicherweise der Schuldige? Doch sie wusste keinen Grund, weshalb er zwei Menschen hätte umbringen sollen, und es gab auch keine Hinweise, die diese Theorie unterstützten. Vielleicht hatten sie nicht gründlich genug gesucht. Einer Sache jedenfalls wäre sie seinerzeit gern intensiver nachgegangen: Jemand hatte ihr und Sverrir gegenüber Þorris Vergangenheit erwähnt, er sei bei seiner vorherigen Arbeitsstelle in Schwierigkeiten geraten. Sverrir hatte dem nicht weiter nachgehen wollen, und wenig später waren die Ermittlungen auch in andere Richtungen gelaufen. Sie schrieb Þorris Namen auf den Zettel, unterstrich ihn mehrfach, und ergänzte: *Frühere Stelle??*

Aber was sollte sie schon tun?

Nein, es brachte nichts, weiter darüber nachzudenken.

Sie schob den Zettel beiseite und beschloss, keine weiteren Gedanken mehr daran zu verschwenden.

2012

HELGI

Gegen zehn betrat Helgi das Kommissariat.

Er hatte sich nicht angekündigt, sondern nannte einfach seinen Namen und bat um ein Treffen mit Magnús.

»Ich gebe ihm Bescheid, aber ich weiß nicht, ob er sofort Zeit hat«, sagte der Mann am Empfang.

Helgi konnte warten. So ließ sich das Unumgängliche, dieser Job, noch ein wenig hinauszögern. Er war gekommen, um ja zu sagen. Außerdem hoffte er auf ein paar nähere Informationen zu Tinna und Sverrir. Nach dem bevorstehenden Gespräch mit Magnús konnte er den Traum von einem Job im Ausland endgültig begraben. Und wahrscheinlich würde er als Nächstes Bergþóras Drängen nachgeben und aus der Wohnung ausziehen, sich für eine Eigentumswohnung am Rande von Reykjavík in Schulden stürzen. Hoffentlich behielt wenigstens der junge Ökonom aus dem Radio recht mit seiner Voraussage zur Entwicklung der Immobilienpreise.

Nach einer Viertelstunde wurde Helgi aufgerufen.

»Magnús hat jetzt Zeit.«

Er nickte und stand auf. Der Warteraum im Kommissariat an der Hverfisgata war gut besucht. Er hatte versucht sich vorzustellen, was all die Leute hier wollten, mitten am Tag bei der Polizei.

»Er ist im dritten Stock.«

Helgi fuhr mit dem alten Aufzug nach oben. Das Gebäude war in die Jahre gekommen, aber es hatte einen gewissen Charme. Er könnte sich hier wohlfühlen.

Oben angekommen, zeigte man ihm den Weg zu Magnús' Büro.

»Helgi, schön, Sie zu sehen! Entschuldigen Sie, dass ich Sie habe warten lassen. Hier brennt es gerade, daher habe ich auch nicht viel Zeit.« Magnús war aufgestanden und gab Helgi die Hand. Dann betonte er noch einmal: »Es freut mich, Sie zu sehen!«

»Entschuldigen Sie, dass ich einfach so ohne Vorankündigung hereinplatze.«

»Nein, kein Problem. Setzen Sie sich doch. Möchten Sie einen Kaffee?«

Magnús setzte sich an seinen Schreibtisch.

»Danke.« Helgi setzte sich. »Und nein, danke, Kaffee hatte ich heute früh schon, das reicht für mich.«

»Ich nehme mal an, Sie wollen über den Job reden. Ich hatte das letzte Mal schon das Gefühl, dass Sie eine Entscheidung getroffen haben – dass Sie zu uns kommen werden.« Magnús lächelte.

»Ähm, ja, schon … also …«

»Sie haben es sich doch nicht anders überlegt, Helgi?«, fragte er, immer noch mit freundlicher Stimme. »Der Bürostuhl wartet schon auf Sie. Eine Mitarbeiterin geht demnächst in den Ruhestand, und Sie haben hervorragende Empfehlungen von den ehemaligen Kollegen hier und von Ihrem Professor bekommen. Er hatte nie einen besseren Studenten, sagt er.«

Dieses Lob hörte Helgi zum ersten Mal und fühlte sich geschmeichelt.

»Ähm, nein, ich habe es mir nicht anders überlegt. Ich bin gekommen, um … um Ihnen zuzusagen, und …«

»Ausgezeichnet, das höre ich gern!«

»Und ich habe noch ein weiteres Anliegen …«

»Schießen Sie los.« Magnús stützte sich weit auf die Tischplatte.

»Es geht um die Frau, die tot in Árbær gefunden wurde.«

»Ach ja? Um Tinna?«

»Ja. Ich war zufällig einen Tag vor ihrem Tod bei ihr zu Hause.«

»Tatsächlich?« Damit hatte Magnús offenbar nicht gerechnet.

»Ich schreibe einen Aufsatz, meine Abschlussarbeit, in der es um die Todesfälle am alten Tuberkulosesanatorium in Akureyri geht, aus kriminologischer Sicht.«

»Okay …«

»Ich habe ein wenig herumrecherchiert und mit den

Leuten gesprochen, die damals involviert waren. Diejenigen, die mit dem Fall zu tun hatten und noch am Leben sind – oder vielmehr: waren. Ich habe mit allen gesprochen, bis auf Tinna. Ihr Mann hat mir in Árbær die Tür geöffnet und mich gleich wieder nach Hause geschickt. Er sagte, Tinna wolle nicht darüber reden. Ich konnte nichts machen. Hinterher habe ich herausgefunden, dass dieser Mann damals die Ermittlungen geleitet hat ...«

»Sverrir, ja, das stimmt.« Magnús machte ein ernstes Gesicht. »Das ist in der Tat interessant, Helgi, in der Tat. Unter uns gesagt, ist Sverrir momentan der Hauptverdächtige am Mord seiner Frau, aber es wäre die Mühe wert, mit Tinnas ehemaligen Kollegen zu sprechen ... Wir hoffen natürlich, dass wir bald auf eine andere Spur stoßen, denn es wäre furchtbar, wenn ein ehemaliger Kollege wegen Mordes angeklagt würde. Niemand hier glaubt, dass Sverrir ihr Mörder ist, aber bislang haben wir vor allem ihn vernommen.«

»Gibt es ... gibt es denn Hinweise darauf, dass er Tinna umgebracht haben könnte?«, fragte Helgi zögernd, denn er war unsicher, wie intensiv er nachfragen sollte. Er konnte Magnús schwer einschätzen.

»Ja und nein«, antwortete Magnús, den die Frage nicht zu stören schien. »Er ist erst kürzlich aus dem Dienst geschieden und arbeitet seitdem hin und wieder als Nachtwächter. In der Nacht, als Tinna ermordet wurde, hat er gearbeitet.«

»Reicht das denn nicht, um ihn auszuschließen?«, fragte Helgi.

»Es ist nachgewiesen, dass er bei der Arbeit erschienen ist und sich eingestempelt hat, aber soweit wir wissen, hätte er durchaus zwischendurch verschwinden können. Es gibt zwei Überwachungskameras, aber die erfassen nicht alle Ein- und Ausgänge des Gebäudes. Es wäre also denkbar, dass er zur Arbeit gegangen und kurz darauf nach Hause zurückgekehrt ist … und dann wieder zur Arbeit gefahren ist, zu Ende gearbeitet und sich ausgestempelt hat … Das ist natürlich ein furchtbarer Gedanke, eigentlich undenkbar, aber das sind die Fakten, mit denen wir zurzeit arbeiten.«

»Und hat er … hat er irgendetwas gesagt, das auf eine Täterschaft schließen lässt?«

»Nein, keineswegs. Er ist am Boden zerstört und beteuert, dass er nichts damit zu tun hat. Ich denke, er sagt die Wahrheit, aber die Vernehmung läuft noch. Es wäre toll, wenn Sie in die Ermittlungen einsteigen und uns helfen würden, wenn Sie mit den Leuten sprechen könnten, zu denen Sie schon Kontakt haben.«

Helgi wusste nicht, was er sagen sollte.

»Ich … ich muss noch meine Arbeit zu Ende bringen. Ich kann nicht sofort anfangen.«

»Sie kriegen natürlich den nötigen Raum, Ihr Studium abzuschließen, keine Sorge, aber das hier ist der perfekte Zeitpunkt für Ihren Einstieg, direkt ins Geschehen.«

»Ich werde darüber nachdenken, aber … ja …«

»Da gibt es nichts nachzudenken«, sagte Magnús entschieden. »Wir machen das jetzt einfach so, das ist für alle das Beste.«

Helgi nickte. Das war zwar nicht ganz so gelaufen, wie er es sich vorgestellt hatte, aber es war natürlich verlockend, das Ganze mit Dienstmarke in der Tasche weiterzuverfolgen, die Wahrheit aufzuspüren, die hier irgendwo verborgen lag, drei Jahrzehnte nach den Todesfällen in Akureyri. Er war so gut wie überzeugt davon, dass der Mord an Tinna kein Zufall war, sondern dass es irgendeinen Zusammenhang mit den alten Fällen gab.

»Ja, na gut, vielleicht haben Sie recht. Also dann mitten hinein.« Helgi lächelte. »Ich werde … werde mich gleich an die Arbeit machen, zu Hause habe ich einen guten Arbeitsplatz.«

»Kommt nicht in Frage, Sie arbeiten hier. Morgen fangen Sie an. Ich habe schon ein Büro für Sie, muss nur noch die Frau in Rente schicken, die jetzt noch darin sitzt. Sie scheidet ohnehin noch dieses Jahr aus dem Dienst, es wird ihr nichts ausmachen, wenn sie ein wenig früher geht. Kommen Sie morgen einfach um dieselbe Zeit wie heute, dann zeige ich Ihnen Ihr Büro. Was das Gehalt angeht, bleibt es bei dem, was wir damals besprochen haben.«

»In Ordnung. Dann komme ich also morgen und …«

»Und fangen Sie ruhig sofort an, mit den Leuten zu reden. Wir haben keine Zeit zu verlieren!«

2012

HELGI

Helgi überlegte, ob er als Allererstes Bergþóra anrufen und ihr die gute Neuigkeit erzählen sollte – oder na ja, die Neuigkeit. Er hatte das alles selbst noch nicht ganz verdaut und war sich nicht sicher, ob es ein guter Schritt war oder nicht.

Doch statt Bergþóras wählte er Þorris Nummer. Wollte ihn erreichen, ehe er nach Akureyri aufbrach, falls er nicht schon längst dort war.

»Ja?«, ging er recht barsch ans Telefon.

»Hallo, Þorri. Hier ist Helgi Reykdal.«

»Hallo, Helgi! Schön, Sie zu hören.« Ein freundlicher, aber irgendwie falscher Ton.

»Könnten wir kurz reden, falls Sie einen Moment Zeit haben? Sie haben wahrscheinlich viel um die Ohren?«

»Mehr als genug. Ich bin gerade im Stadtzentrum, die nächste Stunde hätte ich Zeit. Ich weiß zwar nicht, was ich dem noch hinzufügen sollte, was ich Ihnen neulich gesagt habe, aber wir können uns gern treffen, wenn Ihnen das hilft.«

»Das wäre toll.«

Sie verabredeten sich in einem Café, und Helgi machte sich sofort auf den Weg. Gerade noch hatte er an der Entscheidung gezweifelt, die er getroffen hatte – oder vielmehr: die man für ihn getroffen hatte –, aber jetzt, auf dem Weg zum Café, fühlte er sich belebt. Die Arbeit an seinem Aufsatz hatte ihm nicht genug gegeben, das hier war eine richtige Aufgabe. Er war deutlich besser gestimmt als am Morgen, hatte mehr Kraft.

Helgi entdeckte den Arzt sofort, gleich in der Ecke neben dem Eingang des gut besuchten Cafés. Dort saß er an einem Laptop, unter einem alten – oder auf alt gemachten – Kronleuchter. Es ging laut und geschäftig zu, bald war Mittagszeit, und niemand achtete auf Helgi. Auf Þorris Tisch stand ein Bier. Helgi ging zur Theke und bestellte sich einen Kaffee.

Das Gebäck an der Theke sah so köstlich aus, dass er am liebsten auch davon etwas genommen hätte, ein Stück von der dicken Schokotorte. Doch er widerstand dieser Versuchung. Die Kellnerin würde ihm den Kaffee an den Tisch bringen. Langsam ging Helgi auf Þorri zu und wünschte ihm einen guten Tag.

Þorri blickte auf. »Helgi, schön, Sie zu sehen! Kommen Sie mit Ihrem Aufsatz nicht weiter?« Er lächelte und trank einen Schluck Bier.

Helgi setzte sich.

»Doch, ich komme ganz gut voran. Ich wollte mit Ihnen über Tinna sprechen.«

»Ja, ich habe heute früh die Nachrichten gesehen. Die arme Frau. Ich kann es kaum glauben. Ich kannte sie nicht gut, aber es ist schon ein komisches Gefühl, dass jemand, mit dem man mal zu tun hatte, ermordet wurde.«

»Tja, und das nicht zum ersten Mal«, sagte Helgi.

»Bitte?« Þorri brauchte einen Moment, bis er verstand. »Ach so, Sie meinen wegen damals. Klar.«

»Nun ist es so«, sagte Helgi, »dass ich die Arbeit an meinem Aufsatz für eine Weile unterbreche, weil ich früher als geplant meine Stelle bei der Kriminalpolizei antrete.«

Diese Neuigkeit überraschte Þorri sichtlich.

»Ach so? Aber Sie sagten doch, Sie wollten mit mir … über Tinna sprechen …«

»Ja, das stimmt. Eigentlich wollte ich erst im Sommer oder Herbst dort anfangen, aber Tinnas Tod rückt die Sache in ein neues Licht. Man hat mich gebeten, in die Ermittlungen einzusteigen.«

»Das heißt also, ich befinde mich hier in einem … polizeilichen Verhör?«, fragte Þorri, und es war nicht auszumachen, ob er das ironisch meinte oder tatsächlich unzufrieden mit dieser Entwicklung war. Helgi rechnete beinahe damit, dass Þorri verärgert aufstand und ging.

Doch er blieb sitzen, vorerst zumindest.

»Das könnte man so sagen«, antwortete Helgi nach einer Weile. »In gewisser Weise. Ist es Ihnen recht, dass ich ein paar Fragen stelle?«

»Tja, was bleibt mir anderes übrig?« Wieder klang seine Aussage nach etwas zwischen Ironie und Wut.

»Wann haben Sie Tinna zuletzt gesehen?«

»Das ist lange her, sehr lange. Wahrscheinlich bei irgendeiner Veranstaltung vor vier oder fünf Jahren. Ich erinnere mich nicht mehr genau.«

»Hatten Sie während all der Jahre Kontakt zueinander? Haben Sie nach Tinnas Umzug nach Reykjavík noch einmal über die Todesfälle im Sanatorium gesprochen?«

»Keineswegs. Ich wüsste nicht, warum wir darüber sprechen sollten. Wenn sie das Bedürfnis gehabt hätte, darüber zu reden, hatte sie zu Hause ja wohl die besten Voraussetzungen dafür, mit ihrem Ehemann, der damals ermittelt hat.«

»Waren Sie noch Oberarzt im Sanatorium, als Tinna dort aufhörte?«

»Ja, schon«, antwortete er kurz angebunden.

»Und ist die Trennung im Guten verlaufen?«

»Ja, das würde ich behaupten. Wir haben mit ihr natürlich eine gute Mitarbeiterin verloren, aber ich wusste, dass wir schnell Ersatz finden würden. Tinna hat ihre Sache gut gemacht, aber unersetzlich war sie nicht. Noch recht grün hinter den Ohren. Aber es gab keine Probleme, alles gut. Anders als bei Broddi.« Er lächelte und leerte sein Bierglas.

In diesem Moment wurde Helgis Kaffee serviert. Þorri nutzte die Gelegenheit und bestellte ein neues Bier.

»Mit Broddi gab es also Probleme, sagen Sie?«

»Ja, ich musste ihm kündigen. So etwas ist nie leicht. Ich hatte beinahe Mitleid mit ihm. Er hat wie ein Kind geheult und gezetert. Und hat dann Ásta die Schuld an allem gegeben, das hat er immer wieder gesagt. Manchmal hatte ich den Eindruck, mit diesem Broddi stimmte etwas nicht.«

»Was sagen Sie, wem hat er die Schuld gegeben?«

»Ásta. Ich erinnere mich nicht mehr im Detail daran, aber ich hatte immer das Gefühl, dass er ihr die Schuld an der Kündigung gab. Was völlig absurd ist, da sie zu dem Zeitpunkt schon lange tot war.«

»Wer war diese Ásta?«

»Sie hat lange als Krankenschwester im Sanatorium gearbeitet. Ich habe sie nie kennengelernt, aber Friðjón sprach oft von ihr. Eine hervorragende Mitarbeiterin, scheint mir. Eine liebe, gute Frau. Deshalb sage ich manchmal, dass Broddi eine Schraube locker hatte, dass er einer Toten die Schuld gab. Er hat einfach seinen Job nicht gut genug gemacht, und er hat als Verdächtiger in einem Mordfall in U-Haft gesessen. Diesen Gedanken fand ich immer unangenehm.«

»Obwohl er wieder freigelassen wurde, als unschuldiger Mann, und der Fall ganz anders ausging?« Helgi hatte langsam die Nase voll von Þorris unterkühlter Art. Er begriff nicht, wie so ein Mensch Arzt sein konnte. Für ihn mussten Ärzte freundlich und verständnisvoll sein, und keines dieser Adjektive passte auf Þorri.

»Nach Friðjóns Tod sind nun mal keine weiteren Gräueltaten geschehen, daher glaubten die Leute gerne an diese Theorie. Für Friðjóns Familie – er hatte noch einen Bruder – war es natürlich furchtbar, aber allen anderen hat es gut in den Kram gepasst.«

»Nach Friðjóns Tod sind keine weiteren Gräueltaten geschehen, sagen Sie.«

»Ja, genau.« Þorri lächelte.

»Bis jetzt.«

»Wie bitte? Ach so, natürlich, das könnte man so sagen. Aber Sie glauben doch nicht ernsthaft, dass es einen Zusammenhang gibt?«

»Genau das soll ich herausfinden.«

»Ein verrückter Gedanke, muss ich sagen.« Þorri klang scharf.

»Wo waren Sie in der Nacht, als Tinna starb, also vorletzte Nacht?«

»Soll das ein Scherz sein?« Jetzt erhob der Arzt ein wenig die Stimme.

»Wir müssen das wissen.«

»Ist es nicht am wahrscheinlichsten, dass er es war, der Kommissar, ihr Mann? Ein Konflikt zwischen Eheleuten? So etwas kommt vor. Diese verdammte häusliche Gewalt nimmt immer mehr zu.«

Helgis Magen verkrampfte sich bei dieser Bemerkung, doch er versuchte, es zu ignorieren. Er musste professionell vorgehen.

»Das wird mit Sicherheit untersucht«, antworte Helgi sachlich. »Also: Wo waren Sie?«

»Was glauben Sie denn? Zu Hause natürlich, ich habe

geschlafen. Wie gesagt, ich habe ein Haus in Garðabær und eines im Norden.«

»Waren Sie allein?«

»Ja, in Reykjavík bin ich meist allein. Meine Frau arbeitet in Akureyri und begleitet mich nur selten nach Reykjavík.«

»Waren Sie die ganze Nacht zu Hause?«

»Selbstverständlich.«

Helgi nickte. Die Sache mit Broddi und dieser Ásta war interessant, ansonsten hatte ihn das Gespräch aber nicht groß weitergebracht. Þorri behauptete, er sei zur Tatzeit zu Hause gewesen, allein. Aber er hätte leicht nach Árbær fahren und Tinna umbringen können.

Eine Sache wollte Helgi aber noch ansprechen. »Da fällt mir ein: In welcher Beziehung standen Sie zu Elísabet?«

Þorri sah ihn mit finsterem Blick an. »Wie meinen Sie das?«

»Ich habe gehört, es gab eine Zeit, in der Sie sich nähergekommen sind.«

»Wer behauptet bitte so einen Unsinn?«

»Ist denn nichts daran?«

Þorri zögerte.

»Es ist nie etwas zwischen uns gelaufen«, sagte er entschieden. »Aber ich kann nicht leugnen, dass sie es sich möglicherweise anders gewünscht hätte. Eine Zeit lang hat sie mich nicht in Frieden gelassen. Wollte eine Beziehung, ihren Mann verlassen … Das war ziemlich unangenehm, ehrlich gesagt.«

»Und Sie haben nichts getan, was ihre Gefühle befeuert hätte?«

»Überhaupt nicht. Sie hat für mich geschwärmt, so etwas kommt vor, aber es war einfach nur unangenehm. Ich war sehr erleichtert, als mir der Oberarztposten im Krankenhaus Akureyri angeboten wurde.«

»Und jetzt ist alles gut zwischen Ihnen?«

Er lächelte. »Es ist überhaupt nichts zwischen uns. Wahrscheinlich würde ich sie noch nicht einmal auf der Straße erkennen, die gute Frau.«

2012

HELGI

Elísabet wohnte in einer recht kleinen Wohnung in einem Mehrfamilienhaus in der Sóltún.

Sie hatte Helgi bereitwillig zu sich eingeladen, als er sie anrief, allerdings habe sie erst ab sechs Uhr Zeit, was Helgi ihr nicht ganz abkaufte. Er hatte eher den Eindruck, sie wollte beschäftigt tun. Broddi hatte er erst am Nachmittag erreicht und ein Treffen für den nächsten Tag vereinbart.

Die Möbel in Elísabets Wohnung waren neu, aber geschmacklos, wirkten billig und kurzlebig. Es kam ihm so vor, als habe sie nichts aus ihrem früheren Leben nach Reykjavík mitgenommen, nachdem ihr Mann gestorben war, sondern sich für den Neuanfang eine komplett neue Einrichtung gegönnt, mit kleinem Budget. Im Wohnzimmer war ein großes Fenster zum Balkon mit Rollo davor, ein neuerer Röhrenfernseher – Helgi hätte gedacht, dass solche Geräte gar nicht mehr verkauft würden –, ein feuerrotes Sofa und ein schwarzer Couchtisch, der mehr nach Plastik als nach Holz aussah. Insgesamt war das Wohnzimmer spärlich eingerichtet, es gab noch nicht einmal einen Esstisch, obwohl Platz gewesen wäre, und an den Wänden hing kein einziges Bild. Ein paar wenige gerahmte Familienfotos standen auf dem Fernseher. Elísabet hatte Kaffee gekocht und bot Helgi dazu Pfefferkuchen aus einer Dose an.

»Danke, dass ich kommen durfte. Eine schöne Wohnung haben Sie«, sagte er höflich. Sie saßen beide auf dem Sofa, aber die Distanz zwischen ihnen hätte größer nicht sein können.

»Ja, danke. Ich bin hier ganz zufrieden. Das ist natürlich schon etwas anderes als ein Einfamilienhaus im Norden, aber dafür macht so eine kleine Wohnung auch deutlich weniger Arbeit.« Sie lächelte, doch ihr Lächeln wirkte leicht wehmütig.

»Ich denke, es ist fair, wenn ich Ihnen als Erstes sage, dass ich inzwischen bei der Polizei angestellt bin.« Zumindest so gut wie – streng genommen war er das erst ab dem nächsten Tag.

Diese Neuigkeit irritierte sie sehr.

»Bei der Polizei? Wie meinen Sie das?«

»Ich war schon früher bei der Polizei, dann habe ich studiert, und jetzt trete ich eine neue Stelle an. Durch Tinnas Tod ist es jetzt schneller so weit als gedacht, denn ich soll in dem Fall ermitteln.«

»Ja, also …« Sie holte tief Luft. Ihre Hände zitterten leicht. »Dann verstehe ich nicht ganz, was Sie von mir wollen.«

Helgi lächelte, um die Atmosphäre etwas aufzulockern, und sagte freundlich: »Ich versuche nur herauszufinden, ob es irgendwelche Verbindungen zwischen den neusten Ereignissen und den beiden Todesfällen von damals geben könnte.«

»Nein, also … Glauben Sie das? Nein, das kann nicht sein. Auf keinen Fall.«

»Es ist weit hergeholt, das gebe ich zu, aber mein Chef will unbedingt, dass ich Sie alle noch einmal spreche. Wobei der Schwerpunkt der Ermittlungen aber woanders liegt.«

»Woanders? Etwa bei Sverrir? Ja? Ich konnte ihn nie leiden.« Sie schnaubte. Jetzt waren ihre Hände ganz ruhig.

»Dazu darf ich mich nicht äußern. Ich wollte nur kurz mit Ihnen sprechen, angesichts der neuen Entwicklungen.«

Er trank einen Schluck, richtig warm war der Kaffee nicht mehr, aber er war auch zehn Minuten zu spät gekommen. »Leckerer Kaffee.«

»Danke. Ist nur Filterkaffee, aber das Kaffeekochen beherrscht man nach so vielen Jahren.«

»Fällt Ihnen irgendetwas ein, das die aktuellen Ereignisse erklären könnte? Irgendetwas von früher? Und ich betone noch einmal, dass ich persönlich nicht daran glaube, dass es einen Zusammenhang gibt.«

»Ich … ja, nein, auf die Schnelle fällt mir nichts ein. Ehrlich gesagt habe ich noch nicht ganz verarbeitet, dass Tinna tot ist. Gab es denn irgendwelche Konflikte zwischen ihr und ihrem Mann?«

»Leider weiß ich noch nichts darüber. Darum kümmern sich meine Kollegen. Sie sind ihr seit unserem letzten Gespräch nicht begegnet?«

»Nein, sicher nicht. Wie kommen Sie darauf?«

»Ich frage nur. Waren Sie denn die ganze Woche in der Stadt?«

»Ja, natürlich. Wieso?«

»Ich wurde lediglich gebeten, Sie alle zu fragen, ob Sie sie getroffen oder besucht haben …«

»Uns alle?«

»Ja. Ich spreche von Ihnen, Broddi und Þorri.«

»Haben Sie schon mit Þorri gesprochen?«, fragte sie sofort.

»Ja, heute Mittag.«

Sie schwieg einen Moment, dann sagte sie: »Nein, ich habe sie natürlich nicht getroffen. Warum sollte ich?«

»Es ist vorletzte Nacht passiert, wie Sie sicher wissen.« Elísabet nickte.

»Waren Sie da zu Hause?« Normalerweise legte man den Leuten bei Befragungen keine Worte in den Mund, aber bei Elísabet hatte er das Gefühl, dass er durch behutsames Vorgehen mehr erreichte.

»Ja, ja, natürlich, ich war zu Hause. Sie glauben doch nicht …?«

»Nein, keineswegs.« Er fragte weiter: »Sie waren vermutlich allein?«

»Ja, allein. Seit dem Tod meines Mannes bin ich allein. Mein Sohn ist im Ausland. Es gibt nicht viele Menschen um mich herum«, sagte sie betrübt. Dann wiederholte sie: »Aber Sie glauben doch nicht, ich habe … ich … Ich würde keiner Fliege etwas zuleide tun.«

Obwohl Elísabet schon im Rentenalter war, war sie kräftig gebaut. In jüngeren Jahren war sie zweifellos noch stärker gewesen. Rein körperlich wäre sie den Morden im Sanatorium durchaus gewachsen gewesen, fand Helgi. Und Tinna war mit einem Kissen erstickt worden. Mit Sicherheit hatte sie sich zu Beginn gewehrt, aber die Spurensicherung hatte keinerlei DNA-Spuren des Täters finden können. Das hatte Magnús ihm in einer Mail geschrieben, in der er die bisherigen Erkenntnisse zusammengefasst hatte.

»Erinnern Sie sich an eine Frau namens Ásta, die im Sanatorium gearbeitet hat?«

»Ásta? Ja, ich weiß, wer sie war. Warum fragen Sie?«

»Kannten Sie sich?«

»Nein, das kann ich nicht behaupten. Sie arbeitete nicht mehr dort, als ich im Sanatorium anfing, aber sie kam hin und wieder vorbei und besuchte ihre alten Kollegen. Wenn ich mich recht entsinne, ist sie um 1975 gestorben, als hochbetagte Frau. Ich kam 1970 ans Sanatorium, daher habe ich sie noch einige Male gesehen.«

»Was für ein Mensch war sie?«

»Sie war wunderbar. Sie strahlte richtig, war eine ausgesprochen freundliche Person. Alle sprachen nur gut von ihr, auch der Pfarrer hat bei der Beerdigung so schöne Dinge über sie gesagt. Sie hat ihr ganzes Leben als Krankenschwester gearbeitet und als solche auch andere Zeiten kennengelernt. Sie war schon im Sanatorium, als dort noch gegen die Tuberkulose gekämpft wurde. Man kann sich kaum vorstellen, wie furchtbar das war.«

Helgi nickte.

»Warum interessieren Sie sich für Ásta?«

Helgi dachte nach, war unsicher, wie viel er Elísabet gegenüber preisgeben sollte.

»Ihr Name fiel in einem Gespräch. Ich wollte nur etwas mehr über sie erfahren, herausfinden, ob sie damals mit den Morden zu tun hatte, direkt oder indirekt.«

»Nein, nein, wie kommen Sie darauf? Da war sie schon lange tot. Möge sie in Frieden ruhen.«

Sie hielt ihm die Keksdose hin.

»Nehmen Sie einen. Es ist zwar nicht mehr Weihnachten, aber Pfefferkuchen kann man nie genug essen.«

»Danke.« Er griff in die Dose.

»Welche Aufgaben werden Sie denn bei der Polizei übernehmen?«, fragte sie. »Und finden Sie dann überhaupt noch Zeit für Ihren Aufsatz?« Sie lächelte und trank einen Schluck Kaffee. Helgi hatte das Gefühl, dass sie ihn so schnell nicht gehen lassen würde.

Er blieb insgesamt eine gute Stunde bei Elísabet. Ihre Einsamkeit war ihm fast unangenehm, sie sehnte sich so offensichtlich nach Kontakt zu anderen Menschen, dass er es nicht über sich brachte, früher aufzubrechen. Sie hatte ihn alles Mögliche gefragt, und er hatte ihr unter anderem von seinen und Bergþóras Überlegungen erzählt, ob sie weiterhin mieten oder eine Wohnung kaufen sollten. Anderes hatte er verschwiegen.

Pünktlich zu einem späten Abendessen war er zu Hause. Heute war Eintopftag.

»Tja, dann fange ich morgen also an«, sagte er. Er hatte Bergþóra nicht angerufen, sondern wollte ihr die Neuigkeit doch lieber von Angesicht zu Angesicht verkünden, wollte sehen, ob das ihre Stimmung ein wenig hob.

»Womit fängst du an?«

»Bei der Polizei.«

»Oha! Das wurde jetzt aber auch langsam mal Zeit«, sagte sie freudig. »Glückwunsch, Schatz.«

»Genau genommen habe ich schon angefangen. Morgen ist mein erster offizieller Arbeitstag.«

»Und, kriegst du eine spannende Aufgabe?«

»Schon. Ich untersuche den Mord in Árbær.«

»Na, das ist ja was!« Bergþóra klang erstaunt.

»Ich hatte dir doch erzählt, dass die ermordete Frau in meiner Abschlussarbeit auch vorkommt. Sie hat damals im Sanatorium gearbeitet.«

»Was für ein Zufall. Aber toll, dass du dadurch direkt mitmischen kannst«, sagte sie. »Sollen wir mit einem Glas Wein anstoßen und das ein wenig feiern?«

»Ich … eigentlich muss ich noch arbeiten«, sagte er, und das stimmte wirklich. Aber er hatte auch keine Lust auf Rotwein.

»Du könntest dir jetzt aber schon mal ein wenig Zeit für mich nehmen«, sagte sie mit leicht erhobener Stimme.

»Ich bin völlig fertig vom Tag und brauche ein bisschen Entspannung.«

»Ja, mal sehen. Wenn ich nachher noch Zeit habe.«

»Nein, schon gut. Mach es, wie du willst. Dann trinke ich eben allein ein Gläschen.«

Helgi wollte keinen Wein mit Bergþóra trinken. Das endete nachher wieder nur im Streit. Während sie eine Flasche Rotwein öffnete, zog er sich mit den alten Ermittlungsakten ins Arbeitszimmer zurück. Die wollte er noch einmal sorgfältig durchgehen – vielleicht hatte er irgendetwas übersehen.

Die Krimis im Wohnzimmer waren zwar auch verlockend, aber die mussten warten. Auch im Arbeitszimmer standen Bücher, in die er sich gern vertieft hätte, alte ausländische Krimis, die nicht mehr ins Wohnzimmer gepasst hatten. Er fuhr mit dem Finger über die Buchrücken, Agatha Christie, Ellery Queen, S. S. Van Dine und viele weitere. Aber an diesem Abend war er mit dem alten Sanatorium beschäftigt.

Es konnte kein Zufall sein, dass Tinna genau zu dem Zeitpunkt ermordet wurde, als er den alten Fall wieder ausgrub. Es musste irgendeinen Zusammenhang geben.

Es sei denn, Þorris Theorie stimmte und die Lösung des Rätsels war häusliche Gewalt. Wenn dem so war, würde die Polizei früher oder später die Wahrheit aus Sverrir herauskriegen. Bis dahin blieb Helgi nichts anderes übrig, als weiterzuforschen.

Als er so lange gelesen hatte, dass die Wörter vor seinen Augen verschwammen, nahm er sich die Fotos vom Tatort vor. Die Aufnahmen von Yrsa waren nur schwer zu ertragen, so brutal, wie der Täter vorgegangen war, die Blutlache auf dem Schreibtisch, die abgetrennten Finger … Die Frau war richtiggehend gefoltert und anschließend umgebracht worden. Er nahm sich jedes einzelne Foto vor und studierte alle Details, bis er bei einer Aufnahme hängen blieb. Es war ein Foto vom Inhalt der Schreibtischschublade, schnell geschossen in dem Versuch, den Tatort möglichst genau zu dokumentieren. In dem Schubfach lagen diverse Dokumente, Schlüssel, Zettel und mehr oder weniger unlesbare Notizen, und unter einem Papier blitzte ein Foto hervor, ein altes Schwarzweiß-Bild von einem Jungen. Es war nur das halbe Gesicht zu sehen, trotzdem weckte das Foto Helgis Interesse. Hatte Yrsa einen Sohn gehabt? Er erinnerte sich nicht daran, davon gelesen zu haben, aber wenn dem so war, lohnte es sicher, mit ihm zu sprechen.

2012

HELGI

Am nächsten Morgen erschien Helgi pünktlich auf dem Kommissariat. Broddi würde er erst am frühen Nachmittag treffen. Das war vorerst auch das Einzige, was er für die Ermittlungen tun konnte. Abgesehen davon, dass er mit Sverrir sprechen wollte und ihm das Foto von dem kleinen Jungen nicht aus dem Kopf ging. Er musste herausfinden, ob Yrsa einen Sohn gehabt hatte und wenn ja, ob er noch lebte.

»Schön, Sie zu sehen, Helgi«, empfing Magnús ihn freudig in seinem Büro. »Ihr erster Arbeitstag. Demnach werden Sie von heute an bezahlt.«

»Das klingt gut.«

»Haben Sie sich denn schon Gedanken über den Fall Tinna gemacht?«, fragte Magnús.

»Ich habe gestern mit zweien ihrer ehemaligen Kollegen aus Akureyri gesprochen. Den dritten treffe ich heute. Ich berichte Ihnen, was dabei herumkommt. Es wäre gut, wenn ich auch mit Sverrir sprechen könnte. Geht das?«

»Ja, aber warten wir damit noch einen Moment. Er hat sich bereits in eine Art Haft begeben, absolut freiwillig. Wir wollen nicht so weit gehen und eine Untersuchungshaft beantragen. Die Sache ist äußerst sensibel, da er Kommissar war und wir auch nichts Greifbares in der Hand haben. Nichts, was ihn mit der Tat in Verbindung bringt, außer dass er mit Tinna verheiratet war und kein wasserdichtes Alibi vorweisen kann. Mal sehen, ob ich für heute Abend oder morgen ein Treffen arrangieren kann. Ach ja, es gibt übrigens ein kleines Problem mit Ihrem Büro«, sagte Magnús dann. »Die Frau, die in den Ruhestand geht, ist noch nicht ganz fertig hier, sie bleibt noch ein paar Tage und bringt ihre Dinge zu Ende. Daher meine Frage: Können Sie so lange doch noch von zu Hause aus arbeiten? Ich versuche, sie so schnell wie möglich loszuwerden.«

»Ja natürlich, das ist kein Problem. Keinen Stress.«

»Aber sehen Sie sich trotzdem schon einmal das Büro an. Sie ist noch nicht da.«

Er stand auf und führte Helgi zu besagtem Büro. Dort drückte er fest Helgis Hand. »Willkommen im Team, Helgi. Es ist wirklich schön, Sie bei uns zu haben.«

»Danke.«

Darauf ging Magnús, und Helgi warf einen Blick in das Büro. Es war tatsächlich niemand da, aber der Raum wurde noch vollständig genutzt, überall stapelten sich Dokumente. Vorsichtig trat er ein und fühlte sich, als verletzte er jemandes Privatsphäre. Das Büro war geräumig, er würde sich hier sicher wohlfühlen. Hinter dem Schreibtisch stand ein Bücherregal, das in seiner jetzigen Nutzung kaum als solches bezeichnet werden konnte. Dort konnte er vielleicht einige seiner Bücher unterbringen. Dadurch würde der Raum mit Sicherheit etwas gemütlicher. Der Stuhl wirkte bequem, obwohl er nicht mehr ganz neu aussah. Eine Weile stand er am Schreibtisch und atmete die Atmosphäre ein. Hier würde er die nächsten Jahre arbeiten.

Er wollte kurz den Schreibtischstuhl testen, um ein Gefühl für seinen neuen Arbeitsplatz zu kriegen. Er zögerte, doch dann setzte er sich und hoffte, dass die Frau, die ihr Büro bald räumen musste, nicht genau in diesem Moment hereinkam.

Sein Blick fiel auf einen Zettel, der auf dem Tisch lag. Darauf standen einige bekannte Namen. Seine Vorgängerin machte sich offenbar auch Gedanken über den Fall. Auf den Zettel waren drei Namen gekritzelt: Tinna, Broddi, Þorri. Hier und da standen Fragezeichen, und das Einzige, was er sonst noch entziffern konnte, war: *Frühere Stelle??* Soweit er das sehen konnte, bezog sich die Anmerkung auf Þorri.

Frühere Stelle? Also im Sanatorium? Oder in der Zeit davor?

Was hatte Þorri noch mal dazu gesagt?

In Hvammstangi, ja. Jetzt fiel Helgi wieder das merkwürdige Zögern des Mannes ein, ehe er diese harmlose Frage beantwortet hatte.

Möglicherweise Grund genug, sich genauer anzusehen, unter welchen Umständen er dort ausgeschieden war.

2012

HELGI

Helgi joggte die Treppe des Mehrfamilienhauses hinauf, in dem Broddi wohnte, bis in den dritten Stock, zum zweiten Mal innerhalb weniger Tage. Er hatte Broddi am Telefon über seinen Einstieg bei der Polizei aufgeklärt, was Broddi aber nicht sonderlich irritiert hatte. »Einmal Bulle, immer Bulle«, war sein einziger Kommentar dazu gewesen.

Broddis Wohnung war klein und muffig. Schon beim letzten Mal hatte Helgi sich nicht wirklich wohlgefühlt.

Jetzt saßen sie wieder am Küchentisch, und auch diesmal hatte Broddi Kaffee gekocht und Plunderteilchen besorgt.

»Ich hätte nicht damit gerechnet, Sie so schnell wiederzusehen, Helgi, aber netter Besuch ist mir immer willkommen. Am Telefon haben Sie nichts davon gesagt, aber ich nehme an, Sie wollen über Tinna reden.«

»Ja, das stimmt.«

»Und sicher wollen Sie wissen, wo ich war, als sie ermordet wurde. In den Nachrichten hieß es, es sei mitten in der Nacht gewesen.«

Helgi nickte.

»Wie Sie sich denken können, kann ich Ihnen nicht beweisen, dass ich nichts damit zu tun habe. Ich bin nachts hier, alle Nächte sind gleich, es gibt keine Abwechslung. Ich bin allein mit meinen Gedanken. Ich kann nur sagen, dass ich damit nichts zu tun habe, das müssen Sie mir glauben. Ich hatte Tinna gern. Das Einzige, was ich mir vorstellen kann, ist ein Familiendrama. Diesem Sverrir würde ich alles zutrauen, dem verdammten Schuft. Er hat mich eingesperrt, mir einen Mord angehängt, aber zum Glück ist er damit nicht durchgekommen. Ich kann Ihnen sagen, ich habe es in seinen Augen gesehen, dass er kein guter Mensch ist. Würde mich nicht überraschen, wenn er sogar ein Gewalttäter wäre.« Er seufzte. »Die arme Tinna.«

Mit einer solchen Zornesrede hatte Helgi nicht gerechnet. Er war sich im Klaren darüber, dass Broddis Meinung über Sverrir mit Vorsicht zu genießen war. Was das anging, war Broddi sicher nicht objektiv.

Irgendwie glaubte er Broddi, diesem Mann, der in seinem Leben schon genug hatte ertragen müssen, aber ausschließen durfte er ihn nicht. Trotz seines Alters hätte es ihm sicher keine großen Probleme bereitet, Tinna zu ersticken. Er wirkte ziemlich fit.

»Sagen Sie mir eines, Broddi: Hatte Yrsa Kinder?«

»Diese Frage kann ich sofort beantworten«, sagte Broddi. »Nein, sie hatte definitiv keine Kinder.«

»Sind Sie sich ganz sicher?«

»Ganz sicher. Sie hatte nie einen Mann, hat nie eine Familie gegründet. Warum glauben Sie, dass sie Kinder hatte?«

»In ihren Sachen befand sich ein Foto von einem kleinen Jungen.«

»Von einem kleinen Jungen?« Broddi wirkte verwundert. »Darf ich das Bild mal sehen?«

»Ich habe leider keine Kopie dabei«, sagte Helgi.

»Es wäre interessant, es zu sehen«, sagte Broddi. »Aber Yrsa hatte keine Kinder, so viel steht fest.«

»Und wer ist Ásta?«, fragte Helgi unvermittelt, weil er Broddis Reaktion sehen wollte.

Es war schwer, seinen Blick zu deuten, aber er wirkte leicht erschrocken.

»Ásta? Ich kenne keine Ásta«, antwortete er nüchtern.

»Ganz sicher?«

Broddi dachte kurz nach, dann sagte er: »Ganz sicher. Wer ist diese Ásta?«

»Sie arbeitete im Sanatorium.«

»Ach die, ja, ich erinnere mich. Warum fragen Sie nach ihr?«

»Also kannten Sie sie doch?«, hakte Helgi nach, der davon ausging, dass Broddi gerade gelogen hatte.

»Ja, natürlich kannte ich sie, ich hätte nur nicht gedacht, dass Sie diese Ásta meinen. Ich habe seit Jahrzehnten nicht mehr an sie gedacht. Sie war längst tot, als Yrsa und Friðjón starben, und hat damit nichts zu tun.« Er klang leicht gereizt.

»Ich habe gehört, Sie haben viel von ihr gesprochen«, sagte Helgi ohne weitere Erklärungen.

»Ich soll viel von ihr gesprochen haben?« Broddi lachte. »Unsinn! Ein paar Jahre lang haben wir beide im Sanatorium gearbeitet, wie lange weiß ich nicht mehr, und dann ist sie in den Ruhestand gegangen. Sie hat uns ab und zu besucht und selbstgebackene Teilchen mitgebracht, wahrscheinlich wollte sie sich die Zeit vertreiben oder gegen die Einsamkeit ankämpfen.« Er schwieg einen Moment. »Wie wir alle das tun.«

»Aber ansonsten hatten Sie nach ihrem Ausscheiden aus dem Beruf keinen Kontakt mehr?«

»Nein, hatten wir nicht«, antwortete Broddi entschieden, und diesmal glaubte Helgi ihm, so überzeugt, wie er klang. Broddi beugte sich vor und sah ihn scharf an. »Wer hat das behauptet?«

»Das spielt keine Rolle.«

»Doch, das spielt eine Rolle«, sagte Broddi. »So etwas ist schon einmal passiert, Helgi. Das ist alles schon einmal passiert, sehen Sie das denn nicht?«

Helgi wusste, worauf der alte Hausmeister abzielte.

»Die haben schon einmal versucht, mir die Schuld anzuhängen, die ganze Bande, vielleicht jeder für sich, vielleicht auch alle zusammen, was weiß ich … Aber der Grund ist immer derselbe. Ich war nur ein unbedeutender Hausmeister, es war völlig okay, mich zu opfern, mich den Löwen zum Fraß vorzuwerfen.«

2012

HELGI

Helgis Herz klopfte schneller, als er die leeren Flaschen auf dem Tisch sah, zwei leere Rotweinflaschen. Ein noch halbvolles Rotweinglas stand im Bücherregal. Bergþóra war nirgends zu sehen, vielleicht – hoffentlich – war sie schlafen gegangen. Er nahm das Glas und brachte es in die Küche, schlich ganz leise, um Bergþóra nicht zu wecken. Es war absolut still in der Wohnung, unheimlich still, und einen kurzen Moment befürchtete er, dass etwas passiert sein könnte. Hatte Bergþóra etwa Ernst gemacht und ihrem Leben ein Ende bereitet, wie sie so oft angedroht hatte? Nein, so etwas durfte er nicht denken. Natürlich hatte sie sich nicht das Leben genommen, ihre Drohungen durfte er nicht ernst nehmen. Sie sollten ihn nur hörig machen, ihn in Alarmbereitschaft halten, dafür sorgen, dass er sich schlecht fühlte. In diesen Spielchen war sie wirklich gut – zu gut.

Die Stille war erdrückend, doch er würde sich davon nicht verunsichern lassen. Am liebsten wollte er auf dem

Sofa schlafen, in einem guten Buch schmökern, bis ihm die Augen zufielen, und Bergþóra in Ruhe ihren Rausch ausschlafen lassen, ihr nicht den Gefallen tun, nach ihr zu schauen.

Er stand da und lauschte der Stille, überlegte, welcher Krimi ihm helfen würde, wieder runterzukommen und sich zu entspannen.

Er nahm den Duft der alten Bücher wahr, freute sich darauf, sich auszuruhen. Wollte versuchen, nicht an Bergþóra zu denken.

Auf einmal verlor er das Gleichgewicht, durch einen Stoß, so plötzlich, dass er mit dem Gesicht gegen das Bücherregal prallte.

Er brauchte einen Moment, bis er begriff, was passiert war. Schnell drehte er sich um, sein Gesicht brannte vor Schmerzen, und jetzt sah er sie. Den nächsten Angriff wehrte er geschickt ab. Mit den Fäusten ging sie auf ihn los, doch er hielt sich im richtigen Moment den Arm vors Gesicht und kniff die Augen zu.

Auch den nächsten Schlägen wich er so gut es ging aus. Er schlug nie zurück, nutzte nie den Kraftunterschied aus, hatte nie Hand an Bergþóra gelegt, und es wäre ihm nie in den Sinn gekommen, daran etwas zu ändern. So jemand war er einfach nicht. Er ließ sie noch eine Weile gewähren, hoffte, dass es aufhörte, ließ den Schmerz durch seinen Körper strömen.

Doch diesmal schien Bergþóra über ungeahnte Kräfte zu verfügen, sie machte immer weiter. Irgendwann nahm er den Arm herunter und sah ihr in die Augen. »Was soll das?«

»Du warst nicht nett zu mir, Helgi, ganz und gar nicht nett. Du hast kein Recht, so gemein zu mir zu sein!«

Sie schrie immer lauter: »Du bist nur glücklich, wenn du andere Leute triffst … Kannst du mich etwa nicht leiden?«

»Red keinen Unsinn, Bergþóra, du hast zu viel getrunken.« Viel zu viel, wollte er hinzufügen, doch das würde alles nur noch schlimmer machen. Unter diesen Umständen sagte man am besten so wenig wie möglich und versuchte schon gar nicht, ihr die Schuld an allem zu geben. Es gab nie eine logische Erklärung für ihre Wutausbrüche. Ab der zweiten Flasche wurde jeder noch so kleine Konflikt zwischen ihnen zu einem Riesenproblem. Dann war alles an ihm nur noch schlecht, und die angestaute Unsicherheit brach mit aller Gewalt hervor. Ihn selbst machte das alles nicht mehr wütend; er hatte vielmehr Mitleid. Und obwohl sie oft nahe daran war, ihn ernsthaft zu verletzen, hatte er auch keine Angst. Er versuchte einfach nur, ruhig zu bleiben, das war das Einzige, was er tun konnte, die einzige Möglichkeit, sie zu besänftigen. Die ersten Male, als sie auf ihn losgegangen war, war auch er aufgebraust, hatte sie angeschrien, ihr gedroht, aber das war, als würde man Öl ins Feuer gießen. Anfangs hatte er sich noch von ihr trennen wollen, doch seitdem versuchte er, sie zu verstehen, den Auslöser zu verstehen, anstatt sich auf den Ausbruch selbst zu konzentrieren. Er wollte verstehen, warum seine Frau so war.

Wieder holte sie zum Schlag aus, doch er wich ihr aus.

»Ja, hau doch ab, Helgi, du erbärmlicher Schisser.« Man hörte deutlich, dass sie betrunken war. Natürlich hatte er versucht, die Alkoholvorräte aus der Wohnung zu entfernen, aber das half nur kurz. Bergþóra kannte alle Tricks, versteckte den Alkohol und sorgte laufend für Nachschub, daher konnte er sich nie sicher sein. Und wenn die Geschäfte zu waren, ging sie einfach in irgendeine Bar und kam geladen nach Hause.

Manchmal glaubte er, sie hätten es hinter sich. Wenn einige Wochen ohne Alkohol vergangen waren, alles ruhig wirkte und Bergþóra ihm fröhlicher vorkam, sie beinahe lächelte. Aber dann war alles wieder wie vorher. Manchmal merkte er es im Vorfeld, wenn sich etwas zusammenbraute und sich eine dunkle Wolke über ihr bildete. Aber meist passierte es ohne Vorwarnung.

Sie hatten ein paarmal darüber gesprochen, ob sie sich Hilfe von außen suchen sollten. Er nannte es Eheberatung, obwohl klar war, dass die Probleme tiefer lagen. Sie sprachen nicht über Bergþóras Alkoholproblem, und auch die schlimme Kindheit, von der sie ihm erzählt hatte, erwähnte er in diesem Zusammenhang nicht. Und dann war da noch die Gewalt. Eigentlich wäre es Grund genug, die Polizei einzuschalten, doch dieser Weg kam für Helgi nicht in Frage. Das waren ihre Probleme, die sie lösen mussten, da konnte niemand helfen. Zumal sich Bergþóra auch auf nichts einließ, sondern immer behauptete, sie arbeite daran. Wie, wusste er nicht. Helgi hingegen hatte kürzlich einen Schritt in Richtung Zukunft getan, im Alleingang: Er hatte einen Termin bei einem Psychologen ausgemacht, für sich selbst, und Bergþóra nichts davon gesagt. Mit der Zeit war ihm klar geworden, dass *er* mit jemandem sprechen musste, dass es belastender war, als er geahnt hatte, das Opfer in der Beziehung zu sein. Männer durften nicht heulen, obwohl ihm manchmal so sehr danach war.

Jetzt standen sie sich gegenüber und sagten kein Wort. Sie sah ihn an, die Augen hasserfüllt. Das war nicht die Frau, die er liebte oder die er mal geliebt hatte. Der Alkohol hatte sie verändert, und die Gewalt auch.

»Ich bin weg, Schatz«, sagte er und ging zur Wohnungstür. »Ich komme heute Abend wieder, oder in der Nacht, wenn du dich beruhigt hast.«

Er kehrte ihr den Rücken, rechnete jederzeit mit einem erneuten Angriff, dass sie ihn schlagen oder stoßen würde oder noch Schlimmeres, doch er tat ihr nicht den Gefallen, sich umzublicken. Er wusste, dass er im Notfall mit ihr fertig würde, dass er deutlich stärker war als sie.

Da knallte es. Erschrocken wirbelte er herum und sah, wie sie Bücher aus dem Regal riss – die kostbaren Bücher seines Vaters. Sie schleuderte sie geradezu auf den Boden. Im Nu lag dort ein ganzer Haufen, und ehe er reagieren konnte, hatte sie sich ein weiteres Buch gegriffen und begann, die Seiten herauszureißen.

»Deine verdammten Bücher!«, schrie sie. »Die liebst du mehr als mich! Das hast du schon immer getan …«

Er riss ihr das Buch aus der Hand und stellte es zurück ins Regal.

»Was zur Hölle tust du, Bergþóra?«

Sie schnappte sich weitere Bücher und warf sie auf den Boden, trampelte darauf herum. Dann verpasste sie Helgi einen kräftigen Stoß, der ihn beinahe umhaute, doch im letzten Moment fing er sich.

»Du gehst jetzt ins Schlafzimmer und legst dich hin. Sonst rufe ich die Polizei.«

»Mach doch«, entgegnete sie. »Dann sage ich ihnen, du hast mich angegriffen.«

Diese Drohung hörte er zum ersten Mal. Es wurde jedes Mal schlimmer.

»Was sagst du da?!« Er konnte es kaum fassen.

»Ich sage, dass du mich angegriffen hast!«

Er machte einen Schritt auf seine Frau zu und fasste sie sanft an den Schultern. Sie beruhigte sich ein wenig.

»Bergþóra, jetzt komm mal wieder runter. Du musst dich ausruhen. Ich weiß nicht, was ich dir getan habe. Du hast zu viel getrunken, Schatz.«

»Ein paar Gläser«, sagte sie. Sie klang jetzt deutlich ruhiger.

Er blickte auf die Bücher am Boden und das zerrissene Buch im Regal. Seine einzige Ausgabe von *Das Haus an der Düne*, eine der allerersten Agatha-Christie-Übersetzungen ins Isländische. Er war traurig und niedergeschlagen, doch er versuchte, nicht wütend zu sein. Atmete tief ein. Es war nur ein Buch, wenn auch ein unersetzliches.

Wütend werden wollte er auf keinen Fall, denn genau das war ihre Absicht. Eine Reaktion bei ihm provozieren. Doch damit war nichts gewonnen. Er musste die Situation unter Kontrolle bringen, wie er das bei der Polizeiausbildung gelernt hatte, indem er Bergþóras Verhalten als Herausforderung betrachtete, die es zu meistern galt, als wäre seine Frau eine Fremde, die ihn nichts anginge.

Er führte sie ins Schlafzimmer. Sie wehrte sich nicht, war sicher müde oder hatte für den Moment auch einfach nur genug gewütet. Er half ihr ins Bett, und sie schlief sofort ein.

Zum Glück war es diesmal nicht so laut geworden, sodass der Nachbar sie hoffentlich in Frieden ließ. Aber die Lösung des Problems blieb wie immer an Helgi hängen. Er würde mit seinem Psychologen sprechen, obwohl Bergþóra das eigentlich viel dringender nötig hatte als er. Vielleicht war es langsam einfach genug. Vielleicht musste er Bergþóra verlassen, um aus diesem Teufelskreis auszubrechen.

2012

HELGI

Bergþóra schlief noch, als Helgi sich am nächsten Morgen gegen zehn aus dem Haus schlich. Diesmal hatte er an das Foto gedacht. Er musste herausfinden, wer der kleine Junge auf dem Bild war.

Er hatte Bergþóras Arbeitgeber angerufen und sie krankgemeldet. Normalerweise war es wochenends am schlimmsten, wenn sie unbemerkt trinken konnte, aber hin und wieder gab es auch düstere Tage unter der Woche.

Langsam wusste er wirklich nicht mehr weiter. Ihre Wutanfälle wurden immer schlimmer, sie verweigerte jegliche Hilfe, und er musste ständig für sie lügen. Der Nachbar von oben dachte natürlich, *er* würde *ihr* Gewalt antun, und möglicherweise vermuteten das auch die Kollegen von der Polizei, die neulich angeklopft hatten. Niemandem kam in den Sinn, dass es andersherum sein könnte.

Vielleicht war es Glück im Unglück, dass er gerade heute einen Termin bei seinem Psychologen hatte. Vorher aber stand noch ein Besuch beim Gesundheitsministerium auf dem Programm, in einem altehrwürdigen Haus in der Nähe des alten Schwimmbads. Dort war er mit einer Frau verabredet, die sich für ihn über Þorris Karriere schlaumachen wollte. Die Polizeimarke war wirklich ein Türöffner.

Man schickte ihn über eine prächtige, geschwungene Treppe hinauf in die obere Etage.

Oben empfing ihn eine Frau in ähnlichem Alter wie er, klein und mit kurzem, dunklem Haar. Sie lächelte. »Sie müssen Helgi sein.«

»Ja, der bin ich.«

»Schön, Sie zu sehen. Ich heiße Aníta. Kommen Sie mit.« Sie führte ihn in ein kleines Büro und verschwand hinter dem Computerbildschirm auf ihrem Schreibtisch.

»Es landen nicht oft Aufträge von der Kriminalpolizei auf meinem Tisch«, sagte sie. Sie klang beschwingt. »Das ist natürlich eine ernste Angelegenheit, aber ich muss sagen, ein bisschen Abwechslung ist auch mal schön.«

»Das freut mich zu hören«, antwortete er. Es gefiel ihm, dass sie das Leben nicht zu ernst nahm. Die gestrige Auseinandersetzung mit Bergþóra saß ihm noch in den Knochen, da tat ein wenig Leichtigkeit gut. »Sie sind sich ja sicher im Klaren, dass darüber absolutes Stillschweigen herrschen muss. Der Arzt darf auf keinen Fall von unseren Recherchen erfahren. Sie müssen das ganz für sich behalten.«

»Natürlich.« Sie blickte auf den Bildschirm. »Es ist tatsächlich merkwürdig, Helgi.«

»Merkwürdig?«

»Ja. Sie baten mich herauszufinden, warum er in Hvammstangi aufgehört hat, nicht wahr?«

»Ja, das ist richtig.«

»Nun ja … Er war nie in Hvammstangi.«

»Was sagen Sie da? Sind Sie sicher?«

»Ganz sicher.« Sie lächelte.

»Tja, also …«

»Er hat Sie angelogen.«

Darauf antwortete Helgi lieber nicht, sondern fragte: »Also war die Stelle im Tuberkulosesanatorium seine erste Anstellung?«

»Nein, nein. Er war vorher in Húsavík.«

»Seltsam.«

»Ja. Hvammstangi und Húsavík kann man eigentlich nicht verwechseln, vor allem, wenn man an einem der beiden Orte gearbeitet hat und am anderen nicht«, sagte Aníta schmunzelnd.

»Und warum hat er dort aufgehört?«, fragte Helgi.

»Auch das ist merkwürdig«, sagte sie und lächelte. Ihr machte das alles offenbar großen Spaß.

»Schießen Sie los.«

»Er hatte einen Vertrag für drei Jahre, wie fast alle jungen Ärzte. So funktioniert das System. Die Leute sind für drei Jahre angestellt und bekommen dann entweder einen neuen Vertrag oder bewerben sich woanders. Das ist alles fest geregelt. Aber unser Freund Þorri hat schon nach knapp zwei Jahren dort aufgehört. Danach war er ein halbes Jahr arbeitslos, bis er den Job in Akureyri bekam. Ich habe sogar eine Erklärung zur Kündigung von seinem damaligen Chef in Húsavík gefunden. Darin schreibt er, sie seien gemeinsam zu dem Entschluss gekommen, dass er dort aufhört, da die Arbeit Þorri nicht liegt.«

»Wer war dieser Mann, haben Sie seinen Namen?«, fragte Helgi und hoffte inständig, dass er noch lebte.

»Ja, er ist bekannt, ein renommierter Arzt, geht auf die neunzig zu, ist aber noch fit. Sie wollen mit ihm sprechen, stimmt's?«

»Das könnte zumindest interessant sein.«

»Er heißt Matthías. Matthías Ólafsson. Sie finden ihn im Telefonbuch.«

2012

HELGI

»Erzählen Sie mir mehr von Ihrer Frau, Helgi.«

Der Psychologe wirkte entspannt und konzentriert zugleich.

Das war Helgis zweite Sitzung. Die erste war ein eher allgemeines Gespräch gewesen, was sicher einer professionellen Herangehensweise entsprach, aber jetzt drangen sie endlich zum Kern der Sache vor. Helgi hatte sich den Psychologen im Internet selbst herausgesucht, hatte mit niemandem darüber gesprochen. Er musste einfach mit jemandem reden, mit einem Fremden, dem er vertrauen konnte.

»Wir sind schon lange zusammen. Die Gewalt war nicht von Anfang an da, nicht sofort, aber es fing bald an. Seitdem ist es stetig schlimmer geworden.«

»Ah ja.« Der Psychologe nickte. »Passiert das in speziellen Situationen?«

»Meist ist Alkohol der Auslöser, der macht sie irgendwie angriffslustig.« Helgi hatte das noch nie zuvor laut ausgesprochen, und es kostete ihn mehr Überwindung, als er gedacht hatte.

»Hat sie einen Alkoholentzug gemacht?«

»Darauf würde sie sich nie einlassen. Der Alkohol an sich ist auch nicht das Problem. Das Problem ist die Gewalt.«

Wieder nickte der Psychologe. »Ah ja. Wir sollten das jetzt an diesem Punkt noch nicht weiter analysieren. Versuchen wir lieber, zur Wurzel des Problems vorzudringen.«

»Einverstanden«, sagte Helgi demütig.

»Sagen Sie mir, Helgi: Wie äußert sich diese Gewalt?«

Mit dieser Frage hatte er gerechnet und gleichzeitig gehofft, dass sie nicht fallen würde.

»Das ist unterschiedlich. Manchmal schlägt sie nur nach mir, manchmal prügelt sie richtig. Ich versuche mich natürlich zu wehren, aber ich schlage nie zurück, das käme mir nicht in den Sinn. Angst habe ich keine, nicht wirklich, aber natürlich ist es mir nicht egal. Es wird oft laut bei uns, das ist nicht mehr normal. Manchmal geht sie noch weiter und schlägt mit Gegenständen. Dann befürchte ich schon manchmal, dass ich ernsthaft etwas abkriege, aber zum Glück ist es bisher immer glimpflich ausgegangen. Hin und wieder geht etwas zu Bruch. Und manchmal versucht sie auch, sich selbst zu verletzen.«

»Wie das?«, fragte der Psychologe, ruhig und besonnen. Als wäre es eine rein theoretische Frage, die niemanden persönlich betraf.

»Neulich hat sie sich ein Küchenmesser genommen«, antwortete Helgi und atmete tief ein. Es fiel ihm schwer, davon zu erzählen. Er hatte nie darüber sprechen wollen, doch jetzt spürte er, dass es gut war, mit jemandem zu reden. »Sie hat es auf mich gerichtet, aber ich hatte keine Angst, dass sie mir wirklich etwas antut. Sie wollte nur Aufmerksamkeit, glaube ich. Aber dann hat sie sich selbst geschnitten, zum Glück nicht tief. Ich musste ihr das Messer mit Gewalt abnehmen.«

»Und wie ist diese Auseinandersetzung ausgegangen?«

»Na ja, der Nachbar aus der Wohnung über uns hat die Polizei gerufen. Ich musste meine ganze Überzeugungskraft aufwenden, um die beiden Polizisten wieder loszuwerden, aber es hat geklappt. Gott sei Dank. Sie hätten das sicher anders interpretiert und mich verhaftet, dabei habe ich nie Hand an Bergþóra gelegt. Nachdem sie gegangen waren, habe ich Blut an meinem Hemd entdeckt, aber zum Glück hatten sie nichts bemerkt.« Helgi seufzte.

»Wie geht es Ihnen danach, Helgi, wenn sie Ihnen Gewalt angetan hat?«

Helgi dachte nach. Auch die Antwort auf diese Frage hatte er nie formulieren wollen.

»Ich habe sie immer noch gern, ich liebe sie immer noch, trotz allem. Glaube ich. Ihr Verhalten ist natürlich völlig inakzeptabel, das ist mir schon klar, und vielleicht müsste ich härter darauf reagieren, aber ich weiß nicht, was das bringen sollte. Die Situation muss sich ändern, aber ich weiß nicht wie. Wahrscheinlich bin ich deshalb bei Ihnen, weil ich Hilfe dabei brauche.«

»Und warum reagieren Sie nicht härter, Helgi?«

Jetzt musste er wirklich nachdenken. Er hatte einen Psychologen aufgesucht, damit er sich etwas besser fühlte. Jetzt musste er sich entscheiden. Sollte er dieses Fass aufmachen oder nicht? Sich dem Experten anvertrauen?

»In gewisser Weise liegt die Schuld nicht bei ihr«, sagte er und bereute sofort seine Wortwahl. Natürlich war sie für ihr Verhalten verantwortlich, aber was er meinte, war, dass sie in gewisser Weise für die dahinterliegenden Gründe nichts konnte.

»Wie meinen Sie das?«, fragte der Psychologe mit unangenehm hypnotisierender Stimme. Helgi konnte gar nicht anders als zu antworten.

»Wir sprechen nicht viel darüber, Bergþóra und ich, nicht mehr.« Er sprach langsam, musste Mut fassen. »Sie hat in der Schule Gewalt erfahren.«

»Gewalt? Welche Art von Gewalt?«

»Lang andauernde seelische Gewalt. Ein Lehrer war dafür verantwortlich, die gesamte Grundschulzeit über.«

»Soso«, sagte der Psychologe noch genauso ruhig wie vorher. Ihn haute offenbar nichts so leicht um.

»Es ist über die Jahre immer schlimmer geworden, die Depression, die Angriffslust, aber die Wurzeln liegen in jener Zeit.«

»Seelische Gewalt, sagen Sie. Keine körperliche?«

»Nicht ihr gegenüber.« Helgi seufzte. »Ihre Freundin hat es noch schlimmer erwischt.«

»Ich höre …«

»Sie hat körperliche Gewalt erfahren, und noch Schlimmeres, glaube ich. Sie hat sich als Teenager das Leben genommen. Sie war Bergþóras beste Freundin.«

»Verstehe«, sagte der Psychologe unberührt.

»Ich glaube, darüber ist Bergþóra nie hinweggekommen.«

2012

HELGI

Helgi war gerade auf dem Weg zu dem betagten Arzt Matthías Ólafsson, als Magnús anrief. Es war nach sechs. Zum Abendessen hatte Helgi sich in einem Drive-through einen Burger geholt, wollte die Begegnung mit Bergþóra noch etwas hinauszögern. Die sollte sich erst mal beruhigen und darüber nachdenken, was passiert war.

»Helgi, störe ich gerade?«, fragte Magnús.

»Nein, alles gut. Ich bin gerade unterwegs, arbeite an unserem Fall.«

»Schön, schön. Sie wollten doch mit Sverrir reden, oder?«

»Ja, unbedingt.«

»Dann kommen Sie vorbei. Noch ist er hier, aber sicher nicht mehr lange. Wir haben absolut nichts in den Händen.«

Verdammt. Er wollte den alten Herrn nicht versetzen.

»Reicht es, wenn ich in einer Stunde da bin?«

»Tja … ja, das geht in Ordnung.«

Matthías empfing Helgi in der Cafeteria des Seniorenheims, in dem er lebte. Sie saßen auf einem bequemen Ecksofa, hatten ein Stück Kuchen gegessen und einen späten Kaffee getrunken.

»Meine Kinder wollten, dass ich hier einziehe«, sagte Matthías. »Sie haben sich Sorgen um mich gemacht. Vermutlich wegen des Alters. Nur weil ich in drei Jahren neunzig werde, glauben sie, ich kann nicht mehr für mich sorgen. Aber man sollte das Alter nicht zu ernst nehmen.«

Da war sicher was dran, dachte Helgi. Jedenfalls sah dieser Mann eher nach um die siebzig aus als nach siebenundachtzig. Er hatte dichtes, graues Haar, einen scharfen Blick und wirkte ziemlich rüstig. Er trug einen grauen Anzug und darunter ein Hemd mit einer roten Krawatte, als wäre er auf dem Sprung zu einem wichtigen offiziellen Termin.

»Die Polizei bittet mich nicht oft um ein Gespräch, nicht mehr. Damals hatte ich natürlich häufiger mit euch zu tun. Bei einem Arzt landet einiges auf dem Tisch, wie Sie sich vorstellen können.«

»Ja. Ich hoffe, ich halte Sie nicht lange auf. Herzlichen Dank schon mal, dass Sie sich die Zeit nehmen.«

»Zeit? Davon habe ich jetzt mehr als genug. Einen neunzigjährigen Arzt will niemand mehr engagieren, daher vertreibe ich mir die Zeit mit Lesen und Herumforschen.« Er lächelte. »Ich habe sozusagen endlos Zeit.«

»Ich wollte Sie nach einem Arzt fragen, der vor vielen Jahren für Sie gearbeitet hat. Das hat mit aktuellen Ermittlungen zu tun, also muss ich Sie um Verschwiegenheit bitten.«

»Selbstverständlich. Darin bin ich Experte. Um welchen Arzt geht es denn?«

»Þorri Þorsteinsson. Erinnern Sie sich an ihn?«

»Þorri, ja. Natürlich. Wir haben zusammen in Húsavík gearbeitet. Nicht lange. Ein hervorragender Arzt, klug, aber ... tja, er kämpfte mit gewissen Problemen.«

»Mit welchen Problemen?«

»Sie stellen vielleicht Fragen ... Ich habe nur mit sehr wenigen Menschen darüber gesprochen, aber ich nehme an, es gibt einen Grund für Ihre Frage, Helgi ...« Er verstummte, und es blieb in der Schwebe, ob er das als Aussage oder Frage gemeint hatte.

»Das kann ich eindeutig bejahen«, sagte Helgi.

»Ich musste ihm kündigen, wissen Sie. Er ... tja, er hatte wie gesagt Probleme. Mit Drogen.«

»Drogen?«

»Er kam oft unpünktlich und war nicht richtig bei der Sache, und schließlich gestand er mir, dass er sich in der Richtung ausprobiert hatte und es außer Kontrolle geraten war. Inzwischen hatte er damit aufgehört. Es waren aber auch einige Pillen aus dem Lager verschwunden, und er gab zu, dass er sie genommen hatte. Ich hatte keine andere Wahl, als ihm zu kündigen, obwohl ich ihm glaubte, dass er das hinter sich gelassen hatte und auf den rechten Weg zurückkehren wollte. Er war ein junger Mann, talentiert, und ich finde, jeder hat eine zweite Chance verdient. Nur bei mir ging es nicht, er hatte mein Vertrauen verletzt, aber davon habe ich in der Kündigung nichts erwähnt. Ich hoffe, er ist nicht doch wieder vom Weg abgekommen. Aber das kann ich mir eigentlich nicht vorstellen.«

Drogen waren vielleicht nicht mehr das Problem, aber dafür war Þorri heute dem Alkohol zugetan, wie Helgi bei ihren Treffen festgestellt hatte.

»Wussten Sie, dass er danach eine Stelle im alten Tuberkulosesanatorium in Akureyri bekam?«

»Natürlich. Friðjón hat sich mit mir in Verbindung gesetzt. Wir kannten uns gut.«

»Und haben Sie ihm die Wahrheit gesagt?«

»Gewiss, aber im Vertrauen natürlich. Wie gesagt, ich wollte Þorri keine Steine in den Weg legen, aber ich konnte Friðjón auch nicht belügen. Abgesehen davon habe ich meine Empfehlung für Þorri ausgesprochen, hoffte, dass er die Drogen wirklich hinter sich gelassen hatte. Und es war auch so, dass Þorri sich um eine wissenschaftliche Stelle beworben hatte und keinen direkten Kontakt zu Patienten haben würde, zumindest fürs Erste nicht. Soweit ich weiß, hat er zur Geschichte der Tuberkulose gearbeitet, sich mit Behandlungsmethoden und so weiter befasst, alte Akten studiert. Für eine solche Arbeit konnte ich ihn guten Gewissens empfehlen.«

»Wissen Sie, ob etwas dabei herausgekommen ist?«

»Ehrlich gesagt nein, wahrscheinlich irgendein Bericht, den niemand lesen wollte und der dann im Ministerium in einer Schublade verschwunden ist.«

»Und Friðjón war, wie gesagt, im Bilde über Þorris Geheimnis«, sagte Helgi mehr zu sich selbst. »Und Þorri wollte sicher nicht, dass sich das herumsprach …«

Matthías lächelte.

»Ich weiß, was Sie denken, Helgi«, sagte er verschmitzt. »Sie überlegen, ob nicht Þorri den guten Friðjón – Gott habe ihn selig – vom Balkon gestoßen haben könnte.«

»Das kam mir in den Sinn«, gab Helgi zu.

»Schön und gut. Aber warum hat er dann nicht längst auch mich über die Klinge springen lassen?«

2012

HELGI

Sie saßen zu zweit in einem kleinen Konferenzraum im Kommissariat an der Hverfisgata, Sverrir und Helgi. Magnús hatte sie förmlich einander vorgestellt, obwohl sie sich ja bereits an Sverrirs Haustür begegnet waren – ein unangenehmer Einstieg in das Gespräch.

»Ich kann mich nicht entsinnen, dass wir uns zu meiner Zeit bei der Polizei begegnet sind«, sagte Sverrir nach einem kurzen Schweigen. Er klang freundlich.

»Nein, ich habe im Ausland studiert und war davor auch nur kurz bei der Polizei.«

»Verstehe.«

»Mein Beileid wegen Tinna. Ich hoffe, dass wir den Täter bald finden.«

»Das hoffe ich auch«, sagte Sverrir entschieden. »Ich verstehe das einfach nicht.«

Dann fügte er hinzu: »Und entschuldigen Sie mein unhöfliches Verhalten neulich.«

»Ist schon in Ordnung.«

»Tinna wollte einfach nicht darüber reden. Sie hatte nichts zu verbergen. Und ich habe auch nichts zu verbergen. Das ist einfach nur nichts, an das wir uns gern zurückerinnern.«

»Sie hat damals beide Leichen entdeckt, oder?«

Sverrir nickte.

»Das muss sie sehr mitgenommen haben.«

»Und das war noch nicht alles.«

»Ach ja?«

Sverrir seufzte. »Jetzt kann ich es Ihnen ja sagen. Sie hatte es mir anvertraut, daher … Sie verstehen. Aber falls es doch etwas mit Tinnas Tod zu tun haben sollte …«

Helgi schwieg, wartete.

»Nach dem zweiten Toten damals wurde sie beobachtet, belästigt oder … ich weiß nicht, wie ich es am besten nennen soll … Jemand wollte ihr Angst einjagen. Dadurch sind wir im Grunde zusammengekommen, nachdem ich ihr geholfen habe. Der erste Zwischenfall war bei ihr zu Hause, jemand hat abends durchs Fenster gespäht. Ein andermal erhielt sie spätabends einen Anruf vom Sanatorium, den wir nie einordnen konnten. Oder vielmehr: den ich nicht einordnen konnte. Erst viel später hat sie mir alles erzählt.«

Sverrir machte eine längere Pause, ehe er weitersprach.

»Ich hätte das natürlich früher sagen müssen, aber der Fall war seit Jahren abgeschlossen, die Ermittlungen längst eingestellt. Außerdem hatte ich ihr versprochen, dass ich niemandem davon erzähle.«

»Das verstehe ich«, sagte Helgi freundlich.

»Sie hatte an jenem Morgen, an dem Friðjón gestorben war, jemanden gehört …«

»Im Sanatorium?«

»Ja.«

»Davon steht nichts in den Akten …«, sagte Helgi nachdenklich.

»Sie hat es für sich behalten – warum, wusste sie selbst nicht. Wahrscheinlich war sie – wie die meisten anderen – einfach nur froh, dass sich die Sache so schnell geklärt hatte. Friðjóns Tod war, tja …«

»… eine glückliche Fügung?«, beendete Helgi Sverrirs Satz.

»Es ist nicht schön, das zu sagen, aber … Sie verstehen, was ich meine. Die Ermittlungen steckten in einer Sackgasse, es gab keinerlei Spuren oder Hinweise, denen wir nachgehen konnten. Und ich hatte Broddi verhaftet, wie Sie sicher wissen. Das war natürlich ein Fehler, eine zu voreilige Entscheidung. Man lernt mit dem Alter dazu. Es ging mir nicht gut damit, den Mann einzusperren. Wir hatten nichts Eindeutiges in den Händen. Tinna hatte wohl Blut gesehen, aber das ließ sich nicht nachweisen. Ich habe sie später nie danach gefragt, aber manchmal glaube ich, sie hat ihre Erzählung damals vielleicht ein wenig ausgeschmückt«, sagte er verlegen. »Sie hat gern mal ein bisschen übertrieben oder auch Dinge heruntergespielt, nicht direkt gelogen, aber die Wahrheit ein wenig zurechtgerückt. Aus einer Unsicherheit heraus, denke ich.«

»Glauben Sie denn, es stimmt, dass sie jemanden gehört hat, als sie Friðjóns Leiche fand?«

Sverrir zögerte. »Ja, ich bin mir ziemlich sicher. Mit der Zeit habe ich gelernt, sie zu lesen. Wusste, wann sie übertrieb und wann nicht. Damals hatte sie wirklich Angst, Todesangst. Wollen Sie meine Theorie hören, Helgi?«

Helgi nickte.

»Ich glaube, dass Friðjón ermordet wurde. Und dass derselbe Mann – oder dieselbe Frau – auch Yrsa getötet hat. Tinna kam an dem Morgen, als Friðjón starb, früher als sonst zur Arbeit, und der Mörder war noch vor Ort. Sie hat nicht gesehen, wer es war, aber das weiß er ja nicht. Er wollte ihr Angst einjagen, ihr deutlich machen, dass er sie im Blick hat, dass sie den Mund halten soll … In gewisser Weise hat das gewirkt, sie hat jahrelang geschwiegen. Und sie wusste ja auch nicht, wer es gewesen ist. Hatte ihn nur gehört.«

Die Frage stand unausgesprochen im Raum: War dieselbe Person jetzt bei ihnen eingebrochen, nachts, als Sverrir nicht zu Hause war, um Tinna zu drohen – und sie schließlich umzubringen? Jemand, der wieder unsicher geworden war, dreißig Jahre später, als die alte Geschichte wieder ausgegraben wurde …?

Helgi sah Sverrir an, dass er dasselbe dachte.

»Wie ist derjenige reingekommen?«

»Derjenige, der … sie umgebracht hat?«, fragte Sverrir. Seine Stimme zitterte.

»Ja.«

»Ein oder zwei Tage vorher hatte sie ihren Schlüssel verloren. Wir haben uns nicht weiter darum gekümmert, sie hat ständig ihre Schlüssel verlegt … Wenn sie vor dreißig Jahren beobachtet wurde, könnte es dann nicht sein, dass dieselbe Person sie auch jetzt beschattet und ihr in der passenden Gelegenheit den Schlüssel geklaut hat? Sie ist sehr sorglos damit umgegangen, hat ihn im Café auf dem Tisch abgelegt und so weiter. In diesen Dingen war sie nicht gerade vorsichtig.« Sverrir sah Helgi durchdringend an. Hatten seine Recherchen für die Abschlussarbeit den Mörder womöglich in Alarmbereitschaft versetzt …?

Aber wenn diese Theorie stimmte – wer sollte es gewesen sein? Þorri, der Arzt mit dem Geheimnis? Elísabet? Vielleicht Broddi?

Oder hatte Tinna gelogen? Hatte sie mit alldem zu tun?

Oder saß Helgi gerade dem Mörder gegenüber? Hatte Sverrir seine Frau getötet? Und wenn dem so war: Hatte er auch mit den Mordfällen im Norden zu tun? Ein absurder Gedanke …

»Ich hätte auf Hulda hören sollen«, sagte Sverrir in die Stille hinein.

»Hulda?« Helgi stutzte. »Ist das die Frau, die damals mit Ihnen ermittelt hat?« Jetzt erinnerte er sich an den Namen aus den Akten.

»Ja, ein kluger Kopf. Sie war gegen die U-Haft von Broddi. Sie fand, dass wir nicht genug in den Händen hatten. Und sie wollte mich davon überzeugen, dass wir den

Fall noch nicht abschließen, sondern weiterermitteln. Ich war jung und dumm, Helgi. Jung und eingebildet.«

»Vielleicht sollte ich mit ihr sprechen. Lebt sie noch?«

»Ja, ja, sie ist … sie dürfte bald in den Ruhestand gehen, aber noch arbeitet sie hier. Reden Sie unbedingt mit ihr. Auch wenn sie nicht gerade die Gesprächigste ist. Sie hat einiges im Leben durchgemacht, hat ihren Mann und ihre Tochter verloren.«

»Oh, das …«

»Sprechen Sie sie unbedingt an. Ich hoffe, sie kann Ihnen etwas mehr helfen als ich«, sagte Sverrir niedergeschlagen. Helgi tendierte dazu, ihm zu glauben, dass jemand anders seine Frau umgebracht hatte.

»Ach ja, was mir noch einfällt …« Helgi zog das Foto von Yrsas Schreibtischschubladeninhalt aus seinem Notizbuch. »Ich frage mich, ob Yrsa einen Sohn hatte. Erinnern Sie sich an diese Aufnahme?« Helgi legte das Foto auf den Tisch.

Sverrir schien nicht gleich zu begreifen, worauf Helgi hinauswollte.

»Meinen Sie das Foto von dem Jungen, das da in der Schublade liegt?«

Helgi nickte.

»Ach ja, jetzt erinnere ich mich wieder. Das kommt nicht oft vor, man vergisst so viel in meinem Alter, aber an den Jungen erinnere ich mich.«

»War das ihr Sohn?«

»Nein, nein. Das war Broddis Bruder.«

»Broddis Bruder?«

»Ja, die Tuberkulose hat ihn geholt. Er ist gestorben. War einer der jüngsten Patienten, meine ich. Wirklich schaurig. Wir haben uns damals natürlich auch gefragt, was dieses Bild da sollte, warum es in Yrsas Schublade lag. Ob er vielleicht schlecht behandelt wurde und Broddi sich rächen wollte. Aber es kam nichts dabei heraus, außer dass es mich vielleicht darin bestärkt hat, Broddi zu verhaften. Seine Erklärung war, dass Yrsa den Jungen wohl gernhatte und sein Tod ihr sehr nahegegangen ist. Es kam wohl nicht oft vor, dass sie so junge Patienten hatten und sie dann auch noch verloren. Wegen seinem Bruder hat Broddi überhaupt im Sanatorium gearbeitet. Als Jugendlicher hat er dort angefangen, wollte seinem Bruder nahe sein, aber helfen konnte er ihm natürlich nicht.«

Bei dem Gedanken schauderte es Helgi.

2012

HELGI

Immer derselbe Ablauf. Helgi hatte auf dem Sofa geschlafen, wie zur Strafe. Wie immer nach solchen Auseinandersetzungen war ihr Kontakt auf ein Minimum reduziert. Er hatte keine Lust, mit ihr zu reden, und sie ließ ihn in Ruhe, verschwand frühmorgens leise aus dem Haus. Für ihn gab es eigentlich nur zwei Optionen: Entweder sie suchte einen Arzt oder Psychologen auf oder er trennte sich von ihr.

Auch heute stellte er sich schlafend, als sie aufstand, und wartete, bis sie das Haus verließ. Erst als die Tür ins Schloss fiel, stand er auf.

Helgi war etwas nervös, wenn er an den bevorstehenden Tag dachte. Er musste erneut mit zwei Leuten reden, mit Þorri und Broddi, und herausfinden, was sie ihm sowohl zu den jüngsten als auch zu den weit zurückliegenden Ereignissen sagen konnten. Als Erstes aber wollte er mit Hulda sprechen, der Frau, die damals an Sverrirs Seite ermittelt hatte. Vielleicht fiel ihr noch irgendetwas ein, das ihnen weiterhalf.

Kurz vor Mittag traf er auf dem Kommissariat ein – immer noch ohne eigenes Büro –, um mit Magnús zu sprechen.

»Hulda Hermannsdóttir, ist die heute hier?«

»Hulda?« Magnús machte ein komisches Gesicht. »Die ist bald raus. Im Grunde ist sie es jetzt schon. Sie bekommen ihr Büro.«

»Ach wirklich? Das ist mir nicht klar gewesen.« Also hatte Hulda die Namen auf den Zettel gekritzelt, und auch den Hinweis, der Helgi auf Þorris problematische Vergangenheit aufmerksam gemacht hatte.

»Nein, kein Wunder. Nachdem Sie zugesagt hatten, habe ich das Namensschild an ihrem Büro abnehmen lassen. Habe sie gebeten, schon jetzt in den Ruhestand zu gehen. Sie hat sich ein paar Tage Zeit erbettelt, aber … tja, sie hat es vermasselt. Es ist höchste Zeit, dass sie geht.«

»Meinen Sie, ich kann mit ihr sprechen?«

»Sicher. Aber warum denn?«

»Sie war damals an Sverrirs Ermittlungen beteiligt.«

»Ja, das stimmt. Vielleicht weiß sie noch irgendetwas. Sprechen Sie unbedingt mit ihr.« Er suchte ihre Kontaktdaten heraus und las ihre Nummer vor, die Helgi in seinem Handy speicherte.

»Aber heute ist sie nicht hier?«

»Nein, und ich habe sie gestern gebeten, auch nicht mehr herzukommen. Sie können sich also ruhig in das

Büro setzen. Räumen Sie Huldas Sachen einfach beiseite, hoffentlich holt sie ihren Kram bald ab.«

Helgi beschloss, noch einen Moment zu bleiben und sich kurz in Huldas Büro zu setzen. Er versuchte, sie zu erreichen, aber ihr Handy schien aus zu sein. Sicher erwischte er sie später noch.

Wichtiger waren jetzt die Gespräche mit Þorri und Broddi.

Þorri erreichte er sofort. Er bat ihn, auf einen Kaffee ins Kommissariat zu kommen, zu einem informellen Gespräch. Þorri wirkte zwar zögerlich, aber er ließ sich darauf ein und versprach, sofort zu kommen.

Broddi erreichte Helgi erst nach mehreren Anläufen. Wieder lud er ihn zum Kaffee ein. Ein weiteres Mal würde Helgi die Treppen hinaufsteigen, in die stickige Wohnung, zu Kaffee und Gebäck.

Helgi brachte es nicht über sich, das Büro nach seinem Geschmack umzuräumen – jedenfalls nicht sofort, obwohl Magnús beteuert hatte, dass Hulda raus sei. Er wollte ihr wenigstens einen Tag Zeit geben, um ihre Sachen zu holen. Ansonsten konnte er sie ja immer noch in einer Ecke des Büros stapeln. Voller Vorfreude wanderte sein Blick über das Regal hinter dem Schreibtisch. Inmitten von Büchern würde er sich ganz sicher wohlfühlen.

»Ich brauche ja keinen Anwalt, oder?«, sagte Þorri. Er klang zwar leicht ironisch, aber ein Hauch Ernst schwang doch mit. Wobei es nicht so wirkte, als machte Þorri sich ernstlich Sorgen; vielmehr wollte er Helgi darauf hinweisen, dass er freiwillig hier war und eine dementsprechend freundliche Behandlung erwartete. Für Helgi eine Selbstverständlichkeit, trotz des heiklen Themas.

»Ich denke, das ist nicht nötig«, antwortete er. »Ich möchte nur über eine Sache mit Ihnen sprechen.«

»Schießen Sie los«, sagte Þorri gelassen. Er schien nicht zu ahnen, worauf Helgi ihn ansprechen wollte.

»Es hat mit Ihrer ehemaligen Stelle zu tun«, sagte er langsam.

»Mit meiner ehemaligen Stelle?« Þorri wirkte leicht irritiert.

»Ja, in Hvammstangi, sagten Sie, wenn ich mich recht entsinne …« Helgi machte eine Pause.

»Hvammstangi … Ach wirklich, das habe ich gesagt? Ich meinte natürlich Húsavík, aber egal. Da habe ich eine Zeit lang gearbeitet.«

»Bei Matthías Ólafsson, stimmt's?«

»Ja, genau, bei Matthías.«

»Ein netter Mensch.«

»Haben Sie ihn getroffen?«

»Und ziemlich rüstig für sein Alter. Er konnte sich noch gut an Sie erinnern.«

»Ja, ich erinnere mich auch noch gut an ihn. So einen Menschen vergisst man nicht.« Helgi meinte, ein leichtes Beben in Þorris Stimme herauszuhören. »Wie geht es ihm denn so?«

»Er hat mir erzählt, warum Sie dort aufhören mussten.«

»Ach ja? Was hat er gesagt?«

»Dass es ein Problem mit Drogen gab ...«

Þorri sagte nichts. Seinem Blick nach zu urteilen war er sowohl wütend als auch besorgt.

»Ich ... ich ... also ...«

»Lassen Sie sich Zeit«, sagte Helgi.

»Das war nur eine kurze Phase, verstehen Sie«, sagte Þorri schließlich. »Und es hatte keinen Einfluss auf meine Arbeit ... auf die Patienten, meine ich.«

»Das hoffe ich.«

»Und ich hatte damit aufgehört, ehe ich im Sanatorium anfing. Da hatte ich das komplett hinter mir gelassen, endgültig. Ich habe seit Jahrzehnten nichts dergleichen mehr angerührt.« Dieser selbstbewusste, ja geradezu arrogante Mann war plötzlich wie ausgewechselt. Er senkte den Kopf und sagte: »Das darf sich nicht herumsprechen. Das *darf* sich nicht herumsprechen ...«

»Das kann ich gut verstehen. Und es steht auch nicht an, jedenfalls momentan nicht, dass ...«

»Ich habe niemandem etwas getan, Helgi, niemandem«, sagte er mit zitternder Stimme.

»Wie ich gehört habe, wusste Friðjón davon. Und dann stirbt er.«

»Das stimmt so nicht«, sagte Þorri entschieden.

»Soll das heißen, er wusste nichts von Ihrer Vorgeschichte?«

Þorri zögerte. »Doch. Matthías hat ihm alles gesagt,

leider, aber er hat mir trotzdem eine Chance gegeben. Zunächst nicht als Arzt, sondern ich habe dort zur Geschichte der Tuberkulose gearbeitet. Zuerst war Friðjón dagegen, aber dann hat er mich doch ins Team geholt.«

»Und warum soll ich Ihnen glauben, dass Sie ihn nicht zum Schweigen bringen wollten, Þorri? Er wusste von Ihrem Geheimnis, und auf einmal stürzt er in den Tod.«

Wieder schwieg Þorri. Dann sagte er kleinlaut: »Wir hatten eine Abmachung, an die wir uns beide gehalten haben. Daher habe ich nie etwas gesagt. Und das wollte ich auch nie tun, aber jetzt ist es auch egal, denke ich. Das ist alles lange her, und der gute Friðjón liegt längst unter der Erde.«

Helgi wartete geduldig.

»Ich kam, wie gesagt, ans Sanatorium, um die Geschichte der Tuberkulose aufzuarbeiten. Ich hatte keine großen Erwartungen an diese Arbeit, aber dann stieß ich auf diesen Jungen, einen der jüngsten Patienten, die an Tuberkulose gestorben waren …«

»Welchen Jungen meinen Sie?«, fragte Helgi, obwohl er glaubte, die Antwort zu kennen.

»Broddis kleinen Bruder. Seinetwegen hat Broddi dort angefangen, als Teenager, um in der Nähe seines Bruders zu sein und auf ihn aufzupassen.«

»Aber der Junge ist gestorben.«

»Ja, eine furchtbare Sache.«

»Aber war das nicht zu einer Zeit, als die Tuberkulose noch so gut wie unheilbar war? An sich dürfte ein solcher

Todesfall doch nichts Ungewöhnliches gewesen sein, oder?«

»An sich nicht, aber bei dem Jungen war es nicht mit rechten Dingen zugegangen …«

»Wie meinen Sie das? Ist er nicht an Tuberkulose gestorben?«

»Doch, das schon.«

»Aber?«

»Ich bin, wie gesagt, alle Akten durchgegangen …« Þorri nahm sich Zeit für seinen Bericht, sprach langsam und wählte sorgfältig seine Worte. »Alles war genau erfasst, die Krankengeschichte jedes einzelnen Patienten, ältere Befunde, die Tuberkulose-Diagnose, Therapieansätze und so weiter …«

Þorri legte eine kleine Pause ein. »Nur bei diesem Jungen stimmte etwas nicht.«

»Inwiefern?«

»Es gab keine Dokumente, die belegten, dass er an Tuberkulose erkrankt war.«

»Bitte? Wie meinen Sie das? Sagten Sie nicht, er sei an Tuberkulose gestorben?«

»Das schon. Aber er hatte keine Tuberkulose, als er im Sanatorium aufgenommen wurde. Er hat sich erst dort infiziert.«

»Was soll das heißen?«, fragte Helgi entsetzt. »Das ist ja schrecklich. War es ein Versehen?«

»Das glaube ich nicht. Ich habe mich damals intensiv mit diesem Fall beschäftigt, ohne dass Friðjón davon wusste. Ich hatte Mitleid mit dem Jungen und fand heraus, dass Friðjón der Bruder des Polizeidirektors in der Stadt war und es Gerüchte gab, dass der Junge der Sohn ebendieses Polizeidirektors gewesen sei. Sein geheimer Sohn, versteht sich. Der Junge hatte wohl herumerzählt, sein Papa sei bei der Polizei, solche Dinge. Friðjón hat es nicht direkt zugegeben, aber ich hatte immer den Verdacht, dass der Junge seiner Mutter, einer einfachen Arbeiterin, weggenommen und ins Sanatorium gesteckt, ja, richtiggehend weggesperrt wurde. Sie hatten sicher vor, gut auf ihn aufzupassen, aber … es kam, wie es kam.«

»Und was hat Friðjón dazu gesagt?«

»Er hat zugegeben, dass Fehler passiert sind, dass der Junge sich im Sanatorium angesteckt hat. Gleichzeitig hat er mir angedroht, dass er meine Drogenvergangenheit ans Licht bringt, wenn ich es nicht für mich behalte. Ich habe mit ihm verhandelt, habe eine Festanstellung bekommen …« Þorri senkte den Blick.

Helgi fehlten die Worte. Konnte das sein? Hatte Friðjón – willentlich oder unwillentlich – den Tod eines unschuldigen Jungen verursacht?

Und die drängendste Frage war natürlich: *Hatte auch Broddi davon gewusst?*

2012

HELGI

Kaffee und Plunderteilchen. Alles wie gehabt, nur dass die Stimmung diesmal irgendwie bedrückend war. Vielleicht kam es Helgi nur so vor, weil er wusste, dass er möglicherweise einem Mörder gegenübersaß; vielleicht war Broddi aber auch besonders vorsichtig. Ahnte er, dass Helgi ihm auf der Spur war?

»Sie sind ja schon Stammgast hier, Helgi«, sagte er mit rauer Stimme. Broddi wirkte erschöpft, als wäre er seit ihrem letzten Treffen um Jahre gealtert.

»Es gibt noch ein paar wenige Details, die ich genauer unter die Lupe nehmen möchte. Ich glaube, so langsam klärt sich alles.«

»Mit wem haben Sie gesprochen?«

»Mit denselben wie vorher, aber ich habe mir auch die alten Akten noch mal angesehen. Alte Fotos vom Tatort.«

Broddi trank einen Schluck Kaffee. Er wirkte noch ganz gelassen.

»Was für Fotos?«, fragte er wie nebenbei.

»Eines von Ihrem Bruder. Das Foto in Yrsas Schublade, das ich letztens erwähnt habe.«

Broddi nickte.

»Davon wusste ich nichts. Aber es überrascht mich nicht. Er ist im Sanatorium gestorben.«

»Standen Sie sich nahe?«

»Sehr. Er war ein toller Junge, immer gut gelaunt, war immer für mich da. Ich weiß nicht, ob Sie das verstehen, aber ich war einsam und hatte nicht viele Freunde. Obwohl ich älter war, hatte ich immer das Gefühl, dass mein Bruder auf mich achtgibt, einfach nur, indem er da war, wissen Sie. Einfach nur, indem er fröhlich war und lachte und wir miteinander spielten. Wir hatten nicht denselben Vater, aber das spielte keine Rolle«, sagte Broddi. Er war immer noch ruhig. »Ich erinnere mich noch genau an unsere Spiele. Wir konnten stundenlang zusammensitzen. Und dann haben sie ihn geholt. Ihn ins Sanatorium gesteckt.«

»So war das damals, die Krankheit hat keinen Unterschied zwischen den Menschen gemacht«, sagte Helgi, ohne die Miene zu verziehen. Er wollte sehen, wie Broddi reagierte.

Broddi schwieg, guckte in seine Kaffeetasse. Das Gebäck lag noch unangerührt auf dem Tisch, wirkte frisch gebacken. Broddi hatte sich die Treppe hinuntergemüht und war zur Bäckerei gelaufen, um einen Gast zu empfangen, der ihn möglicherweise verhaften würde.

»Das stimmt«, sagte Broddi schließlich. Er sprach leise und kontrolliert.

»Ich glaube, sie sind nicht gut mit ihm umgegangen«, sagte Helgi nach einer Weile. Er beobachtete sein Gegenüber. Eigentlich müsste er Angst haben. Broddi hatte aller Wahrscheinlichkeit nach drei Menschen getötet. Doch Helgi hatte keine Angst. Wenn überhaupt, bedauerte er den alten Mann, der ihm gegenübersaß.

»Sie sind schlecht mit ihm umgegangen«, stimmte Broddi ihm zu. Jetzt lag Kälte in seiner Stimme.

»Und sie trugen die Verantwortung für seinen Tod, stimmt's?«

»Das habe ich nicht gesagt.« Broddi blickte ihm selbstbewusst entgegen.

»Sie haben nicht auf ihn aufgepasst.«

»Niemand konnte so auf ihn aufpassen, wie ich es getan habe, Helgi. Niemand.« Dann fügte er hinzu: »Sie haben es noch nicht einmal versucht.«

Auf einmal stand Broddi auf. »Warum reden wir über meinen Bruder, Helgi? Ich will nicht über ihn reden. Das ist vorbei, aus und vorbei. Ich vermisse ihn, aber das darf ich doch wohl.« Er fixierte Helgi, den wieder dasselbe Gefühl überkam, Bedauern, Mitleid, aber keine Angst. Er wusste, dass Broddi keinen weiteren Mord begehen würde.

»Setzen Sie sich, Broddi«, sagte Helgi in bestimmtem Ton. »Wir müssen noch ein paar Dinge klären.«

Broddi wirkte gereizt, doch schließlich setzte er sich. Er starrte in seine Tasse, dann auf das Gebäck.

»Wissen Sie, Broddi, ich glaube, ich weiß, warum Sie sie getötet haben.«

Broddi erschrak.

»Getötet … wen …?«

»Yrsa und Friðjón. Ich kann nicht behaupten, dass ich es verstehe, das nicht, aber ich kann mich in gewisser Weise in Sie hineinversetzen.«

»Yrsa und Friðjón? Ich habe sie nicht getötet! Natürlich habe ich sie nicht getötet!« Broddi hatte die Stimme erhoben, aber überzeugend klang er trotzdem nicht. Wahrscheinlich hatte er das Verbrechen noch nie zuvor laut leugnen müssen.

»Und Tinna. Sie waren Freunde, Broddi, oder?«

»Wir waren Bekannte.«

»Es muss Ihnen schwerer fallen, Tinnas Tod vor sich zu rechtfertigen, Broddi. Sie hatte Ihnen nichts getan. Wahrscheinlich wusste sie einfach nur zu viel. Man macht schnell Fehler, furchtbare Fehler, wenn man Angst hat.«

Broddi sagte nichts.

»Sie haben manchmal Angst, Broddi, nicht wahr? Sie haben oft Angst gehabt. Angst um Ihren Bruder. Angst, dass Sie auffliegen. Das verstehe ich. Es ist schwer, allein zu sein und …«

Broddi fiel ihm ins Wort. »Ich habe gesagt, dass ich nicht über meinen Bruder reden will. Ich habe Sie gebeten, nicht über ihn zu sprechen.« Seine Stimme zitterte leicht, wie bei einem verängstigten kleinen Kind.

Helgi wartete eine Weile, dann sagte er: »Wir müssen

aber über ihn reden. War er bereits an Tuberkulose erkrankt, als er ins Sanatorium kam?«

»Er hatte Tuberkulose. Er hat sich angesteckt«, sagte Broddi.

»Broddi, es nützt nichts, noch länger zu kämpfen. Sie müssen der Wahrheit in die Augen blicken. Wollen Sie Ihr Geheimnis mit ins Grab nehmen? Bereuen Sie nichts?«

»Bereuen …?« Broddi senkte den Kopf. Es war schwer einzuschätzen, was er dachte.

»Er war ein aufgeweckter Junge, nicht wahr?«

Broddi blickte auf. »Ja, der Beste von allen. Ein so munterer …«

»Er hätte Sie verstanden, das weiß ich. Trotzdem ist es an der Zeit, diese Geschichte zu erzählen, Broddi. Sie können sich nicht ewig verstecken. Sie haben furchtbare Verbrechen begangen und …« Helgi dachte nach. »Und ich glaube, Ihr Bruder würde wollen, dass Sie jetzt ehrlich sind.«

Darauf folgte ein langes Schweigen, das mit jeder Sekunde, die verstrich, drückender wurde.

»Unsere Mutter hat sich nie davon erholt«, sagte Broddi. »Die Tuberkulose hatte ihn schlimm erwischt, er ist schnell … von uns gegangen.«

»Wusste sie, dass …?«

»Sie kannte nicht die ganze Wahrheit, genauso wenig wie ich, bis Yrsa es zugab. Aber wir wussten, dass er nicht krank war, als sie ihn holten.«

Helgi nickte.

»Friðjóns Bruder war Polizeidirektor, wissen Sie. Ein verheirateter Mann. Und der Vater meines Bruders. Sehr besorgt um seinen Ruf, der Mistkerl. Niemand durfte erfahren, dass er ein uneheliches Kind hatte. Aber mein Bruder hatte die Wahrheit aufgeschnappt und hat herumerzählt, dass sein Vater Polizist ist. Sogar Polizeidirektor. Die Leute haben ihn nicht ernst genommen, Kinder erzählen solche Geschichten. Aber als es dem Mann selbst zu Ohren kam, ist er aktiv geworden. Er hat dafür gesorgt, dass der Junge aus dem Verkehr gezogen wurde, vorübergehend. Vielleicht hatte er auch einen längerfristigen Plan, aber fürs Erste war er im Sanatorium sicher aufgehoben, in einem geschlossenen Raum. Friðjón hat ihn persönlich abgeholt. Hat die Drecksarbeit für seinen Bruder gemacht. Er sagte, es gäbe den Verdacht, dass er sich angesteckt hat. Mutter und ich konnten nichts tun.«

»Und dann hat er sich wirklich angesteckt …«

Broddi senkte den Kopf.

»Es war schlimm, ganz schlimm.«

»Und Sie haben angefangen, dort zu arbeiten?«

»Zuerst wollte ich ihm einfach nur nahe sein, also habe ich kleinere Hilfsaufgaben übernommen. Ich war ja selbst noch ein junger Bengel. Und ich wollte verstehen, was da vor sich ging. Ich hatte meiner Mutter versprochen, dass ich auf meinen kleinen Bruder aufpasse. Es lagen zehn Jahre zwischen uns. Dieses Versprechen reichte über das Leben hinaus. Mit fünfzehn fing ich im Sanatorium an, später bekam ich eine richtige Hausmeisterstelle. Das war toll. Die Bezahlung stimmte, und Schreibtischarbeit hatte mir nie gelegen. Außerdem konnte ich die Leute kennenlernen, die meinen Bruder getötet hatten. Ich brauchte nur noch Beweise, musste sie beobachten, sie verstehen … Herausfinden, was passiert war.«

»Verstehe«, sagte Helgi.

»Ja, ich weiß, dass Sie mich verstehen«, sagte Broddi, der jetzt erschöpft klang. »Das war eine Gräueltat, Helgi. Es gibt kein anderes Wort dafür. Es ist eine Gräueltat, ein kleines, unschuldiges Kind zu töten.«

»Wissen Sie, was passiert war?«

Broddi zögerte.

»Ja. Yrsa hat es mir gesagt. Am Ende hat sie es zugegeben. Hat mir die ganze Geschichte erzählt. Eine Mitarbeiterin hatte einen Fehler gemacht. Ásta hieß sie. Sie hatte keine Ahnung, wusste nicht, was sie getan hatte, denn sie dachte natürlich, mein Bruder sei krank gewesen, als er eingeliefert wurde. Sie hatten ihn in ein gesondertes Zimmer gesteckt, und nur die beiden durften sich um ihn kümmern …«

»Wer?«, hakte Helgi nach.

»Friðjón und Yrsa. Nur sie kannten die Wahrheit. Aber eines Tages ließ Ásta ihn zum Spielen mit den anderen Kindern auf den Hof. Es war Wochenende, weder Yrsa noch Friðjón waren da. Mehr brauchte es nicht …« Broddis Stimme brach, und eine Träne lief über sein Gesicht.

»Wann hat Yrsa es Ihnen gesagt?«

Es folgte ein langes Schweigen.

»Sie war kurz vor dem Ruhestand. Ich konnte nicht länger warten, Helgi.«

»Okay.«

»Sie ging oft als Letzte nach Hause, also habe ich gewartet, ihr aufgelauert, verlangt, dass sie die Wahrheit sagt. Das … es hat gedauert. Sie wollte nichts sagen, aber ich wusste, dass sie daran beteiligt war. Sie haben immer eng zusammengearbeitet, sie und Friðjón. Und sie hat sich in meiner Gegenwart immer unwohl gefühlt, all die Jahre, Jahrzehnte, das habe ich gespürt. Am Ende hat sie es zugegeben, aber … tja, erst als ich …« Er machte eine kurze Pause, es fiel ihm sichtlich schwer, es auszusprechen. »Ich musste sie mit Gewalt zum Reden bringen. Aber das war es wert. Ich musste die Wahrheit erfahren.«

»Hatten Sie vor, sie umzubringen, Broddi?«

Er dachte nach.

»Ich weiß es nicht. Nicht unbedingt, aber als sie es zugegeben hatte, mir alles gesagt hatte, da musste ich mich einfach für meinen Bruder rächen. Und auch Friðjón musste dafür büßen.«

»Haben Sie ihn vom Balkon gestoßen?«

»Ja, ich habe ihn runtergeworfen. Ich hatte ihn um ein Treffen dort oben gebeten, wegen irgendwelcher Reparaturarbeiten am Balkon. Ich glaube, er hatte es nicht begriffen, hatte Yrsas Tod nicht mit dem Tod meines Bruders in Verbindung gebracht. Das war einfach zu lange her … Er dachte sicher, es würde nie herauskommen.« Dann fügte er hinzu: »Ich habe nie bereut, was ich getan habe.«

»Dann hatten sie damals also doch den richtigen Mann verhaftet.«

»Aber aus den falschen Beweggründen!«, widersprach er entschieden. »Sie wussten nichts. Haben mich einfach nur aus dem Verkehr gezogen, weil sie mir eins auswischen wollten.«

»Und Tinna?«

Broddi senkte den Blick. »Das tut mir leid, aufrichtig leid.«

»Was ist passiert?«

»Ich glaube, sie hat mich damals gesehen, an dem Morgen, an dem Friðjón starb. Ich habe sie gesehen, und sie hat mich ganz sicher gehört. Aber sie hat nichts gesagt. Ich habe sie in Alarmbereitschaft gehalten, ihr Angst eingejagt, dafür gesorgt, dass sie nicht zur Polizei geht. Das hat auch geklappt. Und dann holen Sie diesen Fall wieder aus der Versenkung und wollen mit Tinna reden. Ich hatte Angst, Helgi, einfach Angst. Dachte, dass sie vielleicht jetzt auspackt. Ich habe sie wieder beobachtet und bin ins Haus gegangen, als Sverrir weg war. Ich weiß nicht, ob ich sie töten wollte, vielleicht wollte ich auch nur mit ihr reden, sichergehen, dass sie den Mund hält. Sie hat mich gesehen, ich wollte etwas sagen, aber sie hat einfach nur geschrien und nicht mehr aufgehört, und ich … ja …«

»Sie wissen, dass wir jetzt zusammen aufs Kommissariat gehen müssen, Broddi. Es ist vorbei.«

Broddi blickte auf, sah Helgi in die Augen. »Ja, ich weiß. Ich kann auch nicht mehr. Fühle mich schlecht wegen

Tinna. Habe seitdem nicht viel geschlafen. Ich bin zu weit gegangen, Helgi, ich habe es vermasselt. Sie haben recht, ich muss dafür geradestehen.«

Helgi stand auf.

»Das mit Tinna bereue ich«, sagte Broddi. »Aber Friðjón und Yrsa hatten den Tod verdient. Und Ásta auch, aber die war schon tot, als ich dahinterkam. Ich habe zugesehen, wie mein kleiner Bruder immer schwächer wurde und starb, und es war ihre Schuld. Sie haben ihn getötet. Sie wissen, dass die Tuberkulose früher auch der Weiße Tod genannt wurde, weil die Erkrankten immer blasser wurden. So erinnere ich mich an meinen Bruder. Er war immer so fröhlich gewesen, so lebenslustig, aber heute erinnere ich mich nur noch daran, wie er mich im Sanatorium durch die Glasscheibe anstarrte, leichenblass, kurz bevor er starb.«

2012

HELGI

Richtig wohl fühlte sich Helgi in seinem neuen Büro nicht. Irgendwie war er hier nicht zu Hause, noch nicht, als hätte er sich in das Büro eines anderen geschlichen, was in gewisser Weise ja auch stimmte.

Broddi war hinter Schloss und Riegel, jetzt warteten sie auf den Untersuchungshaftbefehl. Es war bereits später Abend.

»Ich wusste ja, dass Sie gut sind, aber nicht, dass Sie *so* gut sind«, hatte Magnús zu ihm gesagt. Das Lob bedeutete ihm einiges; es gab ihm das Gefühl, dass er hier richtig war.

Er hatte ein weiteres Mal versucht, Hulda zu erreichen, wieder ohne Erfolg. Hilfe brauchte er zwar keine mehr von ihr, aber er hätte ihr gern erzählt, dass der Mörder vom Sanatorium gefasst war, und außerdem wollte er sie bitten, ihre Sachen abzuholen. Na ja, früher oder später würde sie schon noch kommen.

Er hatte ihre Sachen auf dem Tisch ein wenig zur Seite geräumt und die größten Stapel auf den Boden gelegt, um sich etwas Platz zu verschaffen, aber ansonsten wollte er nichts anrühren, sondern Hulda die Gelegenheit geben, selbst zusammenzupacken. Nach so langer Zeit bei der Polizei.

War es so schwer, sich aus dem Arbeitsleben zu verabschieden, dass die gute Frau es nicht schaffte, ihr Büro zu räumen? Der Realität nicht in die Augen blicken wollte, der eiskalt und schonungslos fortschreitenden Zeit?

Er lehnte sich zurück und sah sich um. Auf dem Tisch stand ein Foto von einem jungen Mädchen, wahrscheinlich ihre Tochter oder vielleicht auch Enkelin. Würde er ein Foto von Bergþóra auf seinen Schreibtisch stellen? Bei den Krimis hingegen war er sich sicher. Er würde ein paar Agatha-Christie-Bücher ins Regal stellen, aber nicht die seltensten Exemplare, dazu einige wenige ausländische Krimis von S. S. Van Dine und wahrscheinlich auch seine Sammlung der isländischen Übersetzungen der Bücher von P. D. James um Polizeiinspektor Dalgliesh. Irgendwie passten diese Bücher aufs Kommissariat.

In Gedanken wanderte er zum bevorstehenden Abend mit Bergþóra – falls sie noch nicht schlafen gegangen war. Mal wieder waren sie am Nullpunkt angelangt, Streit und Versöhnung, und mal wieder war er bereit, ihr zu verzeihen, würde fünf gerade sein lassen. Sie mussten viele Entscheidungen treffen, zur Wohnungsfrage und anderem, nur über die wirklich ernsten Probleme würden sie mal wieder nicht sprechen. Aber seine Geduld war bald zu Ende. Auch er hatte Grenzen.

Das schrillende Telefon auf seinem Tisch riss ihn aus den Gedanken. Noch ehe er ranging, suchte er nach einer Möglichkeit, es leiser zu stellen.

Beim dritten Klingeln ging er ran.

»Hallo, Helgi Reykdal am Apparat.«

Einen Moment herrschte Stille, dann sagte jemand auf Englisch: »Entschuldigen Sie, ich würde gern mit Hulda Hermannsdóttir sprechen.« Der Stimme nach zu urteilen ein älterer Amerikaner.

Helgi antwortete freundlich auf Englisch: »Sie rufen in ihrem Büro an, aber mein Name ist Helgi.« Am liebsten hätte er einfach gesagt, dass sie nicht mehr hier arbeitete, aber da der Mann nett klang, fügte er hinzu: »Hulda geht bald in den Ruhestand, und im Moment ist sie nicht hier. Aber in den nächsten Tagen müsste sie noch einmal vorbeikommen, ihre Sachen holen und sich verabschieden.«

»Ja, okay, verstehe.« Ein kurzes Schweigen, dann sagte der Mann: »Könnten Sie, ähm, könnten Sie ihr etwas ausrichten?«

»Natürlich«, antwortete Helgi und suchte einen Zettel.

»Sagen Sie ihr, Robert aus den USA hat angerufen – oder vielleicht besser: ihr Vater. Ich möchte mit ihr reden. Sie weiß, wie sie mich erreicht. Wir haben uns einmal gesehen.«

Helgi hatte den Eindruck, dass die Stimme des alten Mannes brach, dass eine Wehmut mitschwang, den ganzen weiten Weg über den Atlantik.

2012

HELGI

Helgi suchte nach seinem Schlüssel und fand ihn schließlich nicht in seiner Jacke, sondern ganz unten in der Tasche, in der er den Laptop und die Unterlagen für seine Abschlussarbeit transportierte. An den Aufsatz hatte er den ganzen Abend nicht gedacht, aber es war klar, dass er nun eine andere Richtung bekam als gedacht. Ob es eine bessere Note gab, wenn man einen rätselhaften Mord aufklärte? Oder vielmehr: drei Morde?

Er hatte nicht klopfen wollen, falls Bergþóra schon schlief. Hoffentlich war sie noch wach. Vielleicht machten sie sich noch einen gemütlichen Abend, und er erzählte ihr von seinem Tag. Was für ein Tag … Er freute sich, wollte sich ein wenig brüsten, ihr von Magnús' Lob erzählen.

Als er die Tür aufschloss und in die Diele trat, sah er sie mitten im Wohnzimmer stehen. Ihr Blick hasserfüllt, wie bei Broddi vor einigen Stunden. Sie hatte eine leere Rotweinflasche in der Hand.

»Wo warst du?«, schrie sie und stürzte mit der erhobenen Flasche auf ihn zu. Er hatte beide Hände voll und schaffte es nicht rechtzeitig, in Verteidigungshaltung zu gehen. Ein stechender Schmerz durchzuckte ihn, als die Flasche mit voller Wucht auf seinen Kopf prallte. Dann wurde alles schwarz.

DANKSAGUNG

Besten Dank fürs Drüberlesen und die Hinweise an Staatsanwältin Hulda María Stefánsdóttir, meinen Vater Jónas Ragnarsson und Lýður Þór Þorgeirsson. Ein Dankeschön auch an Eyjólfur Kristjánsson und Sandra Lárusdóttir für ein Abendessen im Januar 2018, bei dem einige gute Ideen aufkamen. Außerdem bin ich dankbar für den Kaffee im Kaffi Vest, wo ein Großteil dieses Buchs geschrieben wurde.

Die einsamste Kommissarin Islands.

Die riskanteste Ermittlung ihres Lebens.

Die dunkelsten Schatten ihrer Vergangenheit.

Lesen Sie auch den ersten Teil der
erfolgreichen HULDA-Trilogie
von SPIEGEL-Bestseller-Autor Ragnar Jónasson.

Leseprobe aus dem Thriller
»DUNKEL«

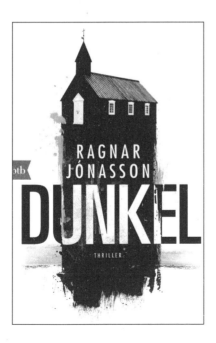

Erschienen im Mai 2020

Ragnar Jónasson

DUNKEL

Thriller

Aus dem Englischen
von Kristian Lutze

I

»Wie haben Sie mich gefunden?«, fragte die Frau. Ihre
Stimme zitterte, sie wirkte verängstigt.

Kommissarin Hulda Hermannsdóttir merkte auf, obwohl sie das Spiel lange und gut genug kannte, um zu wissen, dass Befragte zu nervösen Reaktionen neigten, selbst
wenn sie nichts zu verbergen hatten. Eine Befragung
durch die Polizei war immer einschüchternd, egal ob bei
einer offiziellen Vernehmung auf der Polizeistation oder
bei einem informellen Gespräch wie diesem. Sie saßen
sich in der winzigen Teeküche neben der Personalkantine
eines Pflegeheims in Reykjavík gegenüber, wo die Frau arbeitete. Sie war um die vierzig, hatte kurzes Haar und sah
müde aus. Huldas unangemeldeter Besuch hatte sie sichtlich aus der Fassung gebracht. Dafür mochte es natürlich
eine vollkommen unschuldige Erklärung geben, aber
Hulda war sich fast sicher, dass die Frau etwas zu verbergen hatte. Im Laufe der Jahre hatte Hulda in zahllosen Gesprächen mit Verdächtigen ein Gespür dafür entwickelt,
wann jemand sie hinters Licht führen wollte. Manche hätten es vielleicht Intuition genannt, doch Hulda mochte

das Wort nicht, weil es für sie eine Umschreibung für nachlässige Ermittlungsarbeit war.

»Wie ich Sie gefunden habe?«, wiederholte sie ruhig.

»Wollten Sie denn nicht gefunden werden?« Sie drehte der Frau die Worte im Mund herum. Irgendwie musste sie das Gespräch in Gang bringen.

»Was? Ja …« Ein Hauch von Kaffeegeruch lag in der Luft – Duft konnte man es nicht nennen –, der beengte Raum wirkte düster, das altmodische Mobiliar trist und rein funktional.

Als die Frau ihre Hand hob und an die Wange führte, hinterließ sie auf der Tischplatte einen feuchten Abdruck. Dieser verräterische Hinweis hätte Hulda normalerweise gefreut, aber diesmal empfand sie keine Genugtuung.

»Ich muss Sie nach einem Zwischenfall fragen, der sich in der vergangenen Woche ereignet hat«, fuhr Hulda nach einer kurzen Pause fort. Wie üblich sprach sie ein wenig zu schnell, in einem freundlichen, munteren Ton, der zu der Persönlichkeit passte, die sie sich für ihren Beruf zugelegt hatte, selbst angesichts einer so schwierigen Aufgabe wie dieser. Wenn sie abends allein zu Hause saß und all ihre Kraft verbraucht war, konnte sie auch das Gegenteil sein und sich von Erschöpfung und Depression überwältigen lassen.

Die Frau nickte. Sie wusste offensichtlich, was als Nächstes kam.

»Wo waren Sie am Freitagvormittag?«

»Bei der Arbeit, soweit ich mich erinnere«, kam die

prompte Antwort, und Hulda war fast erleichtert, dass die Frau nicht kampflos aufgab.

»Sind Sie sich da sicher?«, fragte sie. Sie lehnte sich, wie fast immer bei einer Vernehmung, mit verschränkten Armen zurück und beobachtete die Reaktion der Frau genau. Manche deuteten diese Haltung als defensiv oder als Ausdruck mangelnden Mitgefühls. Defensiv? Von wegen. Sie machte das nur, damit ihr die Hände nicht in die Quere kamen, wenn sie sich konzentrieren musste. Und was das mangelnde Mitgefühl betraf, fand Hulda, dass sie emotional nicht noch mehr investieren musste, als sie es ohnehin schon tat: Der Beruf verlangte ihr auch so genug ab, denn sie führte ihre Ermittlungen sehr engagiert und beinahe zwanghaft korrekt.

»Sind Sie sich sicher?«, wiederholte sie. »Das können wir leicht überprüfen. Sie möchten doch nicht bei einer Lüge ertappt werden.«

Die Frau sagte nichts, doch ihr Unbehagen war mit Händen zu greifen.

»Ein Mann wurde angefahren«, fuhr Hulda nüchtern fort.

»Oh?«

»Ja, das haben Sie bestimmt in der Zeitung oder im Fernsehen gesehen.«

»Was? Hm, kann sein …« Nach kurzem Schweigen fragte die Frau: »Wie geht es ihm?«

»Er wird überleben, falls Sie das wissen wollten.«

»Nein, eigentlich nicht … Ich …«

»Aber er wird nie mehr vollständig gesund werden. Er liegt immer noch im Koma. Sie wissen also, welchen Unfall ich meine?«

»Ich … Ich muss irgendwo davon gelesen haben …«

»Die Zeitungen haben nicht darüber berichtet, aber der Mann war vorbestraft wegen sexuellen Missbrauchs von Kindern.« Die Frau reagierte nicht, deshalb fuhr Hulda fort: »Aber das wussten Sie bestimmt, als Sie ihn angefahren haben.«

Immer noch keine Reaktion.

»Er wurde vor Jahren zu einer Gefängnisstrafe verurteilt und hat seine Zeit abgesessen.«

»Wie kommen Sie darauf, dass ich etwas damit zu tun habe?«, fiel die Frau ihr ins Wort.

»Er hatte seine Strafe wie gesagt abgesessen. Wie wir im Zuge unserer Ermittlung festgestellt haben, heißt das allerdings nicht, dass der Mann aufgehört hat. Sehen Sie, wir hatten Anlass zu der Vermutung, dass dieser Unfall mit Fahrerflucht vielleicht gar kein Unfall war. Deshalb haben wir auf der Suche nach einem möglichen Motiv seine Wohnung durchsucht. Und da haben wir all diese Bilder gefunden.«

»Bilder?«, fragte die Frau erschüttert. »Was für Bilder?« Sie hielt den Atem an.

»Von Kindern.«

Die Frau wollte offensichtlich verzweifelt mehr wissen, verkniff sich jedoch jedes weitere Wort.

»Ihr Sohn war eines dieser Kinder«, beantwortete Hulda die unausgesprochene Frage.

Jetzt strömten Tränen über das Gesicht der Frau. »Bilder … von meinem Sohn«, stammelte sie unter Schluchzen.

»Warum haben Sie ihn nicht angezeigt?«, fragte Hulda und strengte sich an, nicht vorwurfsvoll zu klingen.

»Was? Ich weiß nicht … Natürlich hätte ich das machen sollen … Aber ich habe an *ihn* gedacht, verstehen Sie? An meinen Sohn. Ich habe es nicht über mich gebracht, ihm das anzutun. Er hätte … Leuten davon erzählen müssen … vor Gericht aussagen. Vielleicht war es ein Fehler …«

»Den Mann zu überfahren? Ja, das war ein Fehler.«

»Also …«, fuhr die Frau nach kurzem Zögern fort, »ja … aber …«

Hulda wartete ab. Sie wollte der Frau Zeit geben, ihr Geständnis selbst zu formulieren. Und sie wartete nach wie vor darauf, dass sich endlich die übliche Genugtuung einstellte, ein Verbrechen aufgeklärt zu haben. Normalerweise war es ihr sehr wichtig, im Job zu glänzen, und sie war stolz auf die Zahl schwieriger Fälle, die sie im Laufe der Jahre gelöst hatte. Diesmal aber war sie nicht restlos davon überzeugt, dass die Frau, die ihr gegenübersaß, tatsächlich die wahre Schuldige war – ungeachtet ihrer Tat. Wenn überhaupt, war sie ein weiteres Opfer.

Die Frau schluchzte jetzt unkontrolliert. »Ich … Ich habe beobachtet …«, stammelte sie und brach dann erstickt ab.

»Sie haben ihn beobachtet? Sie wohnen in derselben Gegend, oder?«

»Ja«, flüsterte die Frau. Sie bekam ihre Stimme wieder unter Kontrolle, und Wut verlieh ihr unerwartete Kraft. »Ich habe das Schwein im Auge behalten. Die Vorstellung, dass er einfach weitermachen könnte, war für mich unerträglich. Ich hatte Albträume davon, hab mir ausgemalt, wen er sich als Nächstes schnappt ... Und ... Das alles ist meine Schuld, weil ich ihn nicht einfach angezeigt habe ...«

Hulda nickte. Das war durchaus nachvollziehbar.

»Dann habe ich ihn in der Nähe der Schule entdeckt, als ich meinen Sohn dort abgesetzt habe. Ich habe den Wagen geparkt und ihn beobachtet. Er hat mit ein paar Jungs geredet, mit diesem ... diesem widerlichen Grinsen im Gesicht. Dann hat er eine Weile beim Spielplatz herumgelungert, und ich bin wütend geworden. Er hat einfach nicht aufgehört. Männer wie er hören nie auf!« Sie fuhr sich mit der Hand über die Wangen, doch die Tränen strömten weiter.

»Okay ...«

»Dann bot sich aus heiterem Himmel die Gelegenheit. Als er von der Schule wegging, bin ich ihm gefolgt. Er hat die Straße überquert. Sonst war niemand da, niemand, der mich hätte sehen können, und da hab ich einfach Gas gegeben. Ich weiß nicht, was ich mir dabei gedacht habe ... Eigentlich hab ich gar nicht gedacht.« Die Frau brach erneut in lautes Schluchzen aus und vergrub ihr Gesicht in den Händen, bevor sie zitternd fortfuhr: »Ich wollte ihn nicht töten, jedenfalls glaube ich nicht, dass ich das wollte.

Ich hatte bloß Angst, und ich war wütend. Was passiert jetzt mit mir? Ich kann nicht … Ich kann nicht ins Gefängnis. Wir sind nur zu zweit, mein Sohn und ich. Mit seinem Vater kann ich nicht rechnen, der wird ihn nie bei sich aufnehmen …«

Hulda stand wortlos auf und legte eine Hand auf die Schulter der Frau.

Ragnar Jónasson

INSEL

Thriller

384 Seiten, Klappenbroschur, btb 75861

**Vier Freunde auf einer entlegenen Insel,
aber nur drei kehren zurück ...**

Hulda Hermannsdóttir, Kommissarin bei der Polizei Reykjavík,
ist auf dem Höhepunkt ihrer Karriere und wird zu einer
abgelegenen Insel geschickt. Was ist dort in dem Haus geschehen,
das von der Bevölkerung als das isolierteste Haus Islands
bezeichnet wird? Huldas Ermittlungen kreuzen Vergangenheit
und Gegenwart – und plötzlich ist sie einem Mörder auf der Spur,
der möglicherweise nicht nur ein Leben auf dem Gewissen hat ...

»Fortsetzung von ›Dunkel‹, weltbester Island-Krimi.«
Brigitte

**»Ein meisterhafter Einblick in menschliche Abgründe,
total spannend!«**
Publishers Weekly

btb

Ragnar Jónasson

NEBEL

Thriller

352 Seiten, Klappenbroschur, btb 75862

**Ein einsames Bauernhaus – und ein verhängnisvoller
Besuch ...**

Hulda Hermannsdóttir, Kommissarin bei der Polizei Reykjavík,
kehrt nach einem Schicksalsschlag gerade wieder in ihren
Beruf zurück. Um sie bei der Wiederaufnahme der Arbeit
zu unterstützen, wird Hulda von ihrem Chef mit einem neuen
Fall betraut: Mehrere Leichen wurden in einem abgelegenen
Bauernhaus im Osten des Landes gefunden, und alles deutet
darauf hin, dass sie dort schon seit einigen Wochen liegen. Was
ist während der Weihnachtstage geschehen, als das Bauernhaus
durch einen Schneesturm vom Rest der Welt abgeschnitten war?
Und gibt es ein Entkommen vor der eigenen Schuld?

**»Nichts weniger als ein Meisterwerk der modernen
Kriminalliteratur.«**
The Times

»Ohne Zweifel das beste Buch des Autors.«
Fréttabladid

btb

Die isländische Originalausgabe erschien 2019
unter dem Titel »Hvítidauði« bei Veröld, Reykjavík.

Das Zitat auf S. 7 entstammt folgendem Werk:
Jóhann Sigurjónsson, »Der Becher«,
in: *Die Lyra des Orpheus. Lyrik der Völker in deutscher Nachdichtung*,
hrsg. von Felix Braun, übersetzt von Melitta Urbancic.
Wien: Paul Zsolnay Verlag, 1952.

MIX
Papier aus verantwor-
tungsvollen Quellen
FSC® C014496
FSC
www.fsc.org

Penguin Random House Verlagsgruppe FSC® N001967

1. Auflage
Deutsche Erstveröffentlichung November 2021
Copyright der Originalausgabe © 2019 by Ragnar Jónasson
Published by agreement with Copenhagen Literary Agency ApS, Copenhagen
Copyright der deutschsprachigen Ausgabe © 2021 by btb Verlag
in der Penguin Random House Verlagsgruppe GmbH,
Neumarkter Straße 28, 81673 München
Covergestaltung: semper smile, München
Covermotiv: Getty images/Bragi Kort;
Shutterstock/Vidar Nordli-Mathisen; Anton27
Satz: GGP Media GmbH, Pößneck
Druck und Einband: GGP Media GmbH, Pößneck
Printed in Germany
ISBN 978-3-442-75931-6

www.btb-verlag.de
www.facebook.com/btbverlag